ADONDE NO CONOZCO NADA

Malpica, Antonio
   Adonde no conozco nada / Antonio Malpica. – México :
Ediciones SM : CONACULTA, 2011
168 p. ; 21 x 13 cm. – (Gran Angular ; 55 M)

ISBN Ediciones SM : 978-607-24-0265-2
ISBN Conaculta: 978-607-455-732-9

1. Literatura mexicana. 2. Novela juvenil. 3. Amor – Literatura
juvenil. 4. Madurez emocional – Literatura juvenil. I. t. II. Ser.

Dewey 863 M35

Coordinación editorial: Laura Lecuona
Edición: Javier Elizondo
Diagramación: Marina Mejía Vázquez

Coedición (2011): Consejo Nacional para la Cultura y las Artes
Dirección General de Publicaciones
SM de Ediciones, S. A. de C. V.

Primera edición, 2011
D. R. © SM de Ediciones, S. A. de C. V., 2011
Magdalena 211, Colonia del Valle, 03100, México, D. F.
Tel.: (55) 1087 8400
www.ediciones-sm.com.mx

Consejo Nacional para la Cultura y las Artes
Dirección General de Publicaciones
Av. Paseo de la Reforma 175, Colonia Cuauhtémoc, 06500, México, D. F.

ISBN 978-607-24-0265-2
ISBN 978-968-779-177-7 de la colección Gran Angular
ISBN 978-607-455-732-9 Consejo Nacional para la Cultura y las Artes

Miembro de la Cámara Nacional de la Industria Editorial Mexicana
Registro número 2830

Impreso en México / *Printed in Mexico*

Vinieras y te fueras dulcemente,
de otro camino
a otro camino. Verte,
y ya otra vez no verte.

Adolescencia
Vicente Aleixandre

Lo que viene a continuación es una historia que, a simple vista, puede parecer como cualquier otra, pero que, ya puesta en perspectiva, adquiere forma y sentido, como el relato aquel en el libro de Karen Blixen en donde un hombre involuntariamente crea con sus pasos la forma de una cigüeña en su jardín.

Una cigüeña de alas desplegadas en un jardín.

Pero no nos adelantemos.

Por lo pronto digamos solamente que es una historia que, para dotar de significado, tuve que mirar con la perspectiva de un océano y varias décadas de distancia. Y en la que, para contarla correctamente, debo involucrar a cuatro personas.

La primera, un muchacho que nació sin infancia; la segunda, la chica más hermosa del mundo; la tercera, un fan de Gitte Hænning; y la cuarta, una mujer con capacidad de ver la luna nueva aun en la noche más oscura, con afición a los turbantes, las ostras y el champán.

Si les he dedicado pocas o muchas líneas no es asunto que deba importar.

Lo que sí debe importar es que no quede fuera ningún detalle. Al menos en lo que se refiere a la historia. La historia que vale la pena contar de dichos personajes. Y que inicia justo en el momento en que Filip le dio un puñetazo en la cara a John Wilkins en las puertas del St. Martin, el colegio en el que Filip llegó a estudiar alguna vez.

Con ese puñetazo, sin saberlo, Filip sellaba su suerte. Al menos por ese verano.

John Wilkins tenía dieciocho años, y una reputación de sanguinario. Filip, en cambio, solo tenía catorce, aunque también contaba con sus puños, que no eran poca cosa, y una estatura muy superior al promedio. Contaba, además, con una reputación similar a la de Wilkins: había mandado al hospital a Bill Rogers por fractura de costillas. Y a la amarillenta sonrisa de Don *The Bull* Howard le había añadido un par de oscuras ventanas. Pero, a diferencia de Wilkins, nunca había estado en un centro correccional.

John sorprendió a Filip en las puertas del St. Martin. Filip había ido a poner las cosas en claro con uno de sus antiguos condiscípulos: Gordon, un muchacho pelirrojo que, para más señas, llenó la puerta de su casa con improperios. "Freak! Go back to hell!", decían las pintas, sazonadas además con excremento de caballo embarrado sobre la ruinosa puerta de madera del departamento en el East End, donde Filip vivía con su padre.

Tan hermosa relación entre ambos muchachos había nacido antes de que Filip fuera expulsado del St. Martin. Algún asunto de pandillas que no viene al caso fue lo que enemistó a Gordon y a Filip (aunque "pandillas" es un decir, pues Filip nunca tuvo más pandilla que él mismo).

Así que Filip fue a arreglar cuentas con Gordon. Y Wilkins, John Wilkins, advertido por Gordon, su compañero de pandilla, fue a enfrentar a Filip.

Dicen quienes estuvieron ahí que fue una pelea limpia, sin navajas, frente a las puertas del St. Martin (aunque "limpia" también es un decir, pues John tenía cuatro años más que Filip y una buena fama de sanguinario).

El señor Merrick, director del St. Martin, ya se encontraba

en lo alto de las escaleras que conducían a la calle cuando Filip dio ese certero puñetazo en el rostro de Wilkins. La turba de muchachos del colegio gritaba a todo pulmón, alentando a Filip a que lo matara, cuando Merrick comenzó a abrirse paso hasta la escena.

Dicen quienes estuvieron ahí que Filip, sobre el cuerpo inconsciente de Wilkins, no hubiera parado nunca de golpearlo de no ser porque Merrick y otros profesores lo apartaron a la fuerza. Y que cuando llegó la policía algo en la mirada de Filip *The Freak* Dons te hacía creer que en verdad era el mayor malnacido de los alrededores. O tal vez que la mancha de la sangre de Wilkins (el sanguinario) en el suelo no era como para pensar otra cosa.

—¿Qué demonios pasa contigo, Filip? —dijo el sargento Walls al arrojar a Filip al interior de la patrulla, al asiento del copiloto.

Con rabia se lanzó el oficial a recorrer las calles del barrio, tratando de no mirar los nudillos de Filip ensangrentados, tratando de no apartar de su mente la necesidad de hacer justicia, pese a la deuda que sentía tener con Oskar Dons, el padre de Filip.

—Él empezó, tío Bob.

—Siempre son los otros, ¿no, Filip?

Le aventó al regazo su propio pañuelo. Filip limpió su rostro, la sangre que a él mismo le manaba de boca y nariz.

—¡¿Quieres ver lo que Gordon Wilson le hizo a la puerta de la casa?!

—¡Dile a Oskar que ponga una demanda, Filip!

—Tú no sabes cómo es vivir mi vida, tío Bob... mejor cállate.

El sargento Walls trató de apartar de su mente que Oskar Dons le había salvado la vida en Normandía, quince años atrás, durante la guerra. Siguió dando vueltas por las calles londinenses procurándose un poco de sosiego.

Filip sacó una cajetilla de cigarros de la bolsa de su pantalón. Walls se la arrebató y la arrojó a la calle. Detuvo la patrulla. Trató de no mirar el tatuaje que tenía Filip en el cuello.

—Dame una razón para que no te encierre ahora mismo en la cárcel.

—Haz lo que tengas que hacer, tío Bob —bufó Filip, mirando con pereza hacia la calle, donde había un par de abuelas esperando el cambio de luz del semáforo.

En cierto modo, el sargento agradeció no tener hijos. Pensó que sería incapaz de disciplinarlos sin recurrir a la violencia.

—Eso te gustaría, ¿no? Que te inscribiera en una verdadera escuela del crimen.

Filip se encogió de hombros. El sargento Walls trajo a su mente otra plática que había sostenido antes con el muchacho, justo después de que mandó al hospital a Bill Rogers. Le había sugerido encauzar su aparente talento para pelear ingresando a un gimnasio de box. "No cualquiera inflige tanto daño utilizando sólo los puños", le dijo, a lo que Filip respondió diciendo que las peleas eran una parte necesaria de su vida, no una decisión. "Ya quisiera verte viviendo en mis zapatos. Yo no peleo porque quiera pelear; peleo porque tengo que hacerlo".

—Ninguna pelea es necesaria —sentenció Walls, motivado por dicho recuerdo.

—Eso dices tú.

—¿Sabes que tengo permiso de tu padre para recluirte en un *borstal* si quiero? —orilló la patrulla, apagó el motor.

Filip hizo el esfuerzo de no delatar ninguna reacción. En general llevaba una buena relación con su padre. Pero nadie, ni su viejo, sabía lo que era vivir en sus zapatos. De todos modos, ya se había convencido de ser un tipo en verdad abominable... a sus catorce años. La cárcel solo sería la confirmación natural de su destino.

El sargento Walls recargó la frente en el volante. Recordó a Oskar Dons arrastrando su cuerpo conmocionado hacia el interior de una trinchera.

—Dime una cosa, Filip. Desde que empezó todo esto... ¿cuánto es lo más que has durado sin pelear?

Miró al sargento por primera vez desde que se subió a la patrulla. Le decía "tío" de cariño, por la añeja amistad que lo unía con su padre. En el fondo, sentía afecto por él. Pero, con todo respeto, no tenía una maldita idea del asunto, ni él ni nadie. "Desde que empezó todo esto", repitió en su interior. Sabía que el sargento se refería a cierto momento en el que se dejó el cabello largo, comenzó a fumar, se hizo aquel tatuaje. "Desde que empecé a defenderme", sintetizó él con cierta sonrisa socarrona. ¿Cuántos años tenía entonces? ¿Once?

—No sé, no llevo las cuentas.

—Dime un periodo, Filip, el más largo que se te ocurra.

—¿Sin pelear desde que "empezó todo esto"? —ironizó—. No sé. Un mes.

—Pues yo te voy a demostrar que puedes estar hasta tres meses sin pelear.

De: Álex <alex_mex96@gmail.com>
Para: <direccion@moontower.com>
Asunto: Botón
Fecha: 22 de agosto de 2009

Hola... nomás para contarte dos cosas:

1. Que yo robé el botón, no la Horte.
2. Que lo perdí.

Bueno, tres:

3. Mi mamá no me obligó a escribir este mail.

Álex

De: Álex <alex_mex96@gmail.com>
Para: <direccion@moontower.com>
Asunto: RV: Botón
Fecha: 22 de agosto de 2009

...bueno, 4: perdón.

Álex

Desde que llegó a Rungsted, Filip sabía que la decisión del sargento Walls era una artimaña. Pero no solo no se opuso, sino que hasta le pareció extrañamente conveniente. Quizá ese fuera su verdadero destino: ayudar en la oscuridad de un taller mecánico danés y dejar pasar la vida.

O quizá no.

Cuando cumplió dos meses en la solitaria compañía de su tío Hódder, decidió que ya estaba bien, que nada habría de malo en salir a dar una vuelta en bicicleta.

Y me gusta pensar que, pese al preámbulo que hice algunas líneas atrás, es en realidad en este momento cuando comienza la historia. La historia de esas cuatro personas que mencioné al principio. La historia que vale la pena contar.

Filip terminaba sus labores en el taller a las dos. Comía en silencio con su tío Hódder, sin mediar palabra entre ellos, con la música de la Statsradiofonien saliendo del aparato de alta fidelidad. Al terminar de comer, lavaba la loza mientras el viejo Hódder tomaba un vaso minúsculo de brandy y dormía una siesta. Filip tenía entonces permiso de recluirse en su habitación, oír sus discos de rock and roll, mirar la televisión o ponerse a dibujar (desde que vio en las noticias, dos años atrás, que los rusos habían puesto en órbita al *Sputnik,* no dejaba de trazar escenas inventadas del espacio: la posible vida en Saturno, el color de las grandes nebulosas, el diseño de su propia nave intergaláctica).

Pero no esta vez. No en ese momento de un día de mediados de septiembre en que decidió que nada habría de malo en salir a dar una vuelta en bicicleta por el pueblo.

De acuerdo con su percepción, no había motivo para que nadie se metiera con él. O para que él se metiera con nadie. Perfectamente podía fingir que no sabía hablar danés y evadir a todo el mundo hasta que se cumpliera el plazo impuesto.

Entonces salió de la casa en la que desde hacía dos meses vivía con su tío Hódder, montado en la bicicleta que alguna vez perteneció al hijo de este, Jon.

Y, a decir verdad, me gusta imaginar que la historia comienza en el momento en que esas cuatro personas que nos importan, todas habitantes de Rungsted en ese fin de verano de 1959, dirigieron la vista, simultáneamente, en direcciones contrarias.

Filip, cuando después de subir por la Strandvej, una vez que había pedaleado toda la tarde siguiendo la línea de la costera, ida y vuelta, en cierto momento en que, con el puerto a sus espaldas, tomó la decisión de internarse en el pueblo, enfilando hacia el Oeste.

Ellen, cuando presintió la llegada del ocaso y salió al porche de su casa, como todas las tardes, a levantar el rostro contra la brisa que llegaba del Oriente, al salobre tacto del mar, que viajaba desde el puerto hasta a ella.

Ole, caminando por la carretera, dirección Norte. Su toalla bajo el brazo, su radio y sus aletas en sendas manos.

Y Tanne mirando hacia el Sur, haciendo una reverencia para, luego, volver a su estudio —al "Cuarto de Ewald"— y mirar un mapa con la melancolía metida en los ojos.

Cuatro personas con la vista puesta en distintas direcciones, en un mismo instante.

Nada habría de pasar aún ese día. Filip volvería a la casa en la calle de Hestehaven y ayudaría al viejo Hódder a organizar las tareas del día siguiente. Se iría a dormir con un

15

disco de Buddy Holly sonando en su tornamesa portátil y la satisfactoria convicción de haber hecho bien ese día. La decisión de abandonar su encierro de dos meses le colmó de sensaciones placenteras. Pensó, por unos instantes, que probablemente ese fuera su verdadero camino. Un taller automotriz veinticinco kilómetros al norte de Copenhague. Los paseos en bicicleta. La resignación. La posibilidad de hacerse de un Mercedes 170 del '52.

O tal vez no.

Tal vez no.

De: <direccion@moontower.com>
Para: Álex <alex_mex96@gmail.com>
Asunto: RE: Botón
Fecha: 22 de agosto de 2009

Álex:

Me sorprendió tu correo. Tus correos.
Me da gusto que aceptes tu responsabilidad,
pero creo que con quien tienes que disculparte
en realidad es con Horte.

Saludos.

Faltaba solamente un mes. La consigna del sargento Walls eran tres meses. Si Filip podía estar sin pelear hasta el 19 de octubre, el mismo tío Bob se encargaría de que lo aceptaran de nuevo en el St. Martin. O en cualquier otro colegio. En caso contrario, pediría su ingreso en algún *borstal* y se olvidaría de él.

Por lo pronto, estaba funcionando: ya llevaba dos meses sin pelear, lo cual no era tan sorprendente, pues para pelear con alguien hay que tener contacto con él, aunque sea mínimo. Y el contacto que tenía Filip en esos días con el mundo era prácticamente nulo. Pero no tardó en comprender lo que quería demostrar el tío Bob: que se puede vivir sin pelear y sin tener miedo, aunque para mantener el pacifismo tengas que llegar a extremos de aislamiento como los que estaba viviendo en Rungsted.

No era la mejor idea. A nadie le encanta estar encerrado. Él nunca había experimentado tal sensación: su padre siempre lo había mandado a la escuela, a traer encargos, a la iglesia... y ahí había empezado el miedo, los vituperios que terminaron en las broncas fenomenales que había sostenido durante los últimos tres años.

En esa tercera tarde en que se animó a tomar la bicicleta, a Filip le pareció que comprendía las verdaderas intenciones del tío Bob: "Acostúmbrate a no pelear y luego yo te ayudo a mantenerte de esa manera". Como una especie de desintoxicación que, por lo pronto, estaba funcionando.

La idea había sido de su padre: que se fuera esos tres meses con el viejo Hódder, lejos de todo, del East End, de Londres, de las pandillas. Y, por lo pronto...

Ya dos meses sin pelear.

Desde luego que las discusiones con Hódder no contaban, pese al mal carácter del viejo, quien consideraba a todos en el mundo unos sinvergüenzas y unos buenos para nada, incluidos sus clientes del taller automotriz.

—¡Si supieras cómo soltar el embrague no habrías arruinado la caja! —fue la perorata con la que despachó a uno de sus clientes asiduos ese mismo día.

"La mitad de la gente cree que sabe conducir solo porque no se estrella contra un árbol cada tercer día" era otra de sus favoritas. Y la soltaba con distintas variantes en cualquier momento de la jornada, ya fuera mientras cambiaba una llanta, mientras engrasaba un motor o pelaba un cable eléctrico. Filip solo abría la boca si era absolutamente necesario.

—Mueve tu inútil trasero y échame una mano acá —era el modo en que Hódder solía dirigirse a él. Filip seguía las órdenes lo mejor que podía, sin chistar.

Se había coordinado con el viejo bastante bien desde su llegada, y las peleas no pasaban de pequeñas contiendas verbales.

—Apuesto que allá en tu cómodo palacio inglés eras incapaz de bajar el agua del retrete sin equivocarte.

—Usted me dijo que la stilson.

—¿Y según tu corta entendedera esto es una stilson? Ahora me explico muchas cosas.

Pero eso no era pelear. No en la forma en que Filip estaba acostumbrado a hacerlo, hasta hacer saltar la sangre y ver caer al oponente. Incluso se podría decir que le divertían tales discusiones y que, a su modo, había aprendido a apreciar al viejo Hódder.

Esa tarde, en todo caso, estaba escrito en el libro del destino (a veces me gusta imaginar que existe tal cosa) que Filip hiciera girar la rueda de los acontecimientos. Porque el aislamiento impide, efectivamente, las peleas; pero también todo aquello de lo que está compuesta la vida, las historias.

Y en la misma página del libro estaría escrito que se dieran, esa tarde, dos encuentros definitivos.

Tomó Filip la solitaria Strandvej un poco más al norte, unos doscientos metros más allá del puerto. Dado que el sol aún se encontraba alto, decidió no acalorarse pedaleando demasiado rápido. Su idea era, ahora, adentrarse en el pueblo y volver antes del anochecer a ese mismo punto.

Nada podía salir mal.

Así que el primer encuentro ocurrió cuando decidió enfilar hacia Rungstedlund (ese era el nombre con el que se conocía en el pueblo la enorme casa de Tanne). Siguió su instinto sin cuestionárselo. Era un viaje de reconocimiento y valía la pena andar por las silenciosas callejuelas del pueblo sin poner demasiada atención en el rumbo. Todo lo que sabía de esa casa, gracias a la poca información que podía obtener del viejo Hódder, era que en algún momento de la historia del pueblo había sido un hostal y ahora pertenecía a una anciana excéntrica.

Puesto que la calle no llevaba a ningún lado, su idea era dar la vuelta al patio de Rungstedlund, rodear la fuente y volver a la Strandvej para ingresar en el pueblo por alguna otra avenida que corriera hacia el Poniente. No obstante, apenas tuvo ante sí la fachada de la casa, un hombre alto, canoso y de porte elegante le salió al paso.

—*Tak gud! Kan du give os noget hjælp?*

Debía haberlo rodeado, no dirigirle la palabra y desandar el camino. Pero, por alguna razón, no lo hizo. Se lo preguntaría, acaso, todos los días de su vida.

—Lo siento... —balbuceó en inglés, pretendiendo no haber entendido.

Frenó en seco.

—Está empeñada en abrir la ventana —respondió el hombre, también en inglés.

—¿Eh...?

—Disculpe, joven —el viejo le extendió la mano derecha mientras, con la izquierda, se pasaba un pañuelo por la perlada frente—. Pedersen. Trabajo para la baronesa.

Filip devolvió el saludo, aún sin salir del desconcierto. Se oyeron algunos gritos a la distancia, algo que sonaba a refinadas maldiciones.

—Se atascó una ventana en su estudio y no podemos destrabarla. Pero está empeñada en no apartarse de ahí hasta conseguir abrirla. ¿Podría...?

Filip, por respuesta, se bajó de la bicicleta y, empujándola del manubrio, siguió a Pedersen, el chofer, hacia la casa.

Rungstedlund era un edificio de dos plantas en escuadra, con un ala oeste y un ala norte, rodeado por grandes árboles, un patio al frente y un estanque por detrás, que marcaba el inicio del pequeño bosque propiedad de la familia de Tanne.

Filip recargó la bicicleta en la entrada principal y siguió a Pedersen hacia el estudio, de donde provenían los gritos.

Al entrar, tuvo la impresión de ser víctima de una broma. Una anciana diminuta y escuálida, con turbante, vestido largo y mucho maquillaje alrededor de los ojos, forcejeaba con el marco de una ventana que, a todas luces, estaba descuadrada. Con un pie sobre el marco tiraba hacia arriba con ambas manos, sin conseguir gran cosa. Detrás de ella, una señora más joven, de cabello rubio y semblante preocupado, mantenía las manos suspendidas sobre el regazo, contemplando la escena.

—*Baronesse* —anunció Pedersen—. *Denne dreng...*

La anciana no hizo caso. Siguió forcejeando hasta que, con un último balbuceo, soltó el marco. Se dio la vuelta y confrontó a sus tres espectadores. Se hicieron evidentes, en su cuerpo y su mirada, sus cuarenta kilos de peso y su gran determinación de carácter.

Sus ojos fueron directamente hacia arriba, hacia Filip.

—Vaya, vaya... —se acercó a él como si lo hubiera estado esperando; como si fuera a decir su nombre y reprocharle por haber llegado tarde. Lo contempló durante un rato, estudiándolo, hasta que Filip se sintió incómodo.

—Pues bien... —hizo de pronto un ademán y se apartó.

Filip no tuvo que esmerarse demasiado. Desencajó la ventana y la colocó en el marco con cierta destreza para después abatirla un par de veces.

Tanne se acercó y probó que las bisagras funcionaran como debían, así que Filip pudo pasear la mirada por el estudio. Le llamó la atención la austeridad de la habitación, casi como si perteneciera a uno de los criados de la casa. El cuarto estaba conformado por una pequeña cama individual flanqueada por dos burós con sendas lámparas de pantalla; un librero; un escritorio sobre el que descansaban papeles, libros y una máquina de escribir Corona; una cómoda con un reloj encima, y un calentador de gas debajo de la ventana que acababa de dar problema.

—Claro que yo estaba a punto de lograrlo —fue el único comentario de la baronesa.

La señora Svendsen, la mujer rubia de mirada cansada que había estado vigilando que Tanne no se hiciera daño, tomó del brazo a Filip y lo llevó fuera del cuarto con una sonrisa.

—Si consideramos que llevaba casi dos horas insistiendo y que tiene más de setenta años, no hay que tomárselo muy a pecho.

Filip no dijo nada. Prefirió seguir fingiendo no haber comprendido. Estaba más interesado en reanudar su paseo que en molestarse por una aparente falta de gratitud. De hecho, se apresuró a subir a su bicicleta y escuchó a la distancia que Tanne preguntaba a Pedersen, a gritos, si habían invitado al muchacho una taza de café.

No hubiera aceptado, de cualquier manera.

Echó a andar sobre el patio y volvió a su ruta. Incluso, es justo decir que había borrado ya de su cabeza el incidente cuando ocurrió el segundo encuentro. Cuando ya había pedaleado bastante por las calles de Rungsted, se había detenido en el Ballentin a tomar un refrigerio y se recostó por unos cuantos minutos en los lindes de la playa. Cuando ya había concluido que tales asuntos serían completamente inofensivos si mantenía la cabeza baja y guardaba silencio el mayor tiempo posible. Cuando ya iba de regreso a la casa del viejo Hódder a prepararse la cena.

Como había iniciado el camino unos doscientos metros al norte del puerto, quiso terminar ahí el recorrido. Casi eran las ocho y el sol ya comenzaba a ocultarse cuando se detuvo frente a una casa de madera pintada de color azul claro que no había advertido al partir en su paseo, al inicio de la tarde.

Pero ahora fue imposible no notarla.

Ellen Frisch, sentada en una silla mecedora en la veranda, levantaba el rostro hacia el océano, como hacía cada crepúsculo. Con un vestido completamente blanco de tirantes, delgadas sandalias en los pies y el cabello oscurísimo recogido con una diadema, parecía una visión cinematográfica. El viento le hacía revolotear el cabello y cerrar los ojos. El sol se ocultaba detrás de las casas, pero creaba reflejos fantásticos sobre el mar adormecido, listo para iniciar el vaivén de las mareas. El viento arrancaba un murmullo de ruido blanco a las copas de los árboles. Filip Dons supo, como si lo leyera en un anuncio de grandes letras apuntalado firmemente sobre la casa azul de la costera, que estaba perdidamente enamorado.

Y que no podría hacer nada al respecto.

De: Álex <alex_mex96@gmail.com>
Para: <direccion@moontower.com>
Asunto: RE: Botón
Fecha: 23 de agosto de 2009

Okey, ya sé que la nuestra no es la relación más hermosa, pero por lo menos podrías demostrar un poco de enojo para hacerme sentir menos mal. Supongo que un botón que perteneció a Hans Christian Andersen no se consigue en cualquier tienda.
Y, la neta, hasta preferiría que me dijeras de qué me voy a morir a que finjas que te vale gorro.

Álex

De: <direccion@moontower.com>
Para: Álex <alex_mex96@gmail.com>
Asunto: RE: Botón
Fecha: 23 de agosto de 2009

No sé ni qué decirte, Álex. Había demasiada gente
en esa fiesta y yo nunca sospeché de Hortensia.
Me sorprende que lo hayas robado tú pero eso
es todo lo que puedo sentir: asombro. No estoy
enojado. Y no voy a enojarme contigo solo para
hacerte sentir bien. ¿Quieres sentirte mejor? Tal
vez deberías probar no mentir para la próxima.
Y detener un injusto rumor infundado si sabes la
verdad sobre el asunto, claro.

—Parece que ya se te olvidó que no debes meterte en problemas, Dons —gruñó el viejo Hódder la mañana siguiente, al volver de una llamada telefónica.

Filip se encontraba limpiando un carburador sobre la grasosa mesa de trabajo.

—¿Qué dice?

—Lo que oíste. Era el estirado de Pedersen, el mayordomo de la baronesa Blixen. Dice que les estropeaste una ventana.

—¡Eso es una asquerosa mentira!

Hódder dio fuego a su pipa y resopló.

—¿Se puede saber qué demonios hacías ahí? ¿Voy a tener que ponerte un bozal?

—Ellos me pidieron ayuda con una maldita ventana. ¡Y ahora resulta que...!

—Ve a ver qué puedes hacer. Y vuelve para la comida.

El viejo tomó un fajo de facturas y se recargó en la mesa de trabajo a revisarlas, sosteniendo la pipa con los dientes, ocultando una sardónica sonrisa.

Filip se limpió las manos con un trapo sucio, se montó en la bicicleta con una caja de herramientas y salió enfurecido hacia Rungstedlund aún con el overol puesto. Estaba seguro de que la mala suerte lo perseguía. Solo se había involucrado una vez, en sus paseos ciclistas, con otras personas del lugar. Y, al parecer, esa sola vez había bastado para que comenzaran los líos. Pedaleó a toda prisa repitiéndose a sí mismo durante el camino que el asunto no debía adquirir ninguna importancia. Que, con suerte, podría reparar la ventana en un santiamén y salir de ahí sin cruzar palabra con nadie.

En cuanto llegó al patio de Rungstedlund, supuso que había gato encerrado. Lo esperaban la baronesa y Pedersen a la orilla del camino. La baronesa llevaba ropa deportiva y tenía un pie sobre una bicicleta reluciente.

—Buenos dí... —intentó saludar.

—Nunca me dijiste tu nombre —dijo ella en perfecto inglés, con ojos chispeantes. Llevaba el rostro tan maquillado como el día anterior, solo que ahora cubría su cabeza con una gorra con visera.

—Disculpa —torció una sonrisa Pedersen—, es que la baronesa insistió.

—Oh, ni te disculpes, Alfred. Tú y yo sabemos que nunca habría venido si no nos inventamos eso.

Filip miró a la baronesa como si se tratara de una chiquilla. No le costó mucho trabajo concluir que en realidad eso era, una de esas señoras ricas que siempre han de cumplir sus caprichos, ya que toda la vida la han mimado en exceso.

—Usted dirá, señora baronesa —refunfuñó. Volvió a asegurar la caja de herramientas a la canastilla de la bicicleta.

—Llámame Tanne —dijo. Filip notó cómo Pedersen arqueaba las cejas.

—¿Qué puedo hacer por usted, Tanne?

—Pensé que fuéramos de aquí a Elsinore y de regreso.

—No la comprendo.

—Claro que comprendes —se incorporó sobre la bicicleta y comenzó a pedalear haciendo círculos en el patio.

—Señora —se quejó Filip, siguiéndola con la mirada—, tengo trabajo en el taller.

—¡Falso! —gritó ella sin dejar de orbitar por el patio—. ¡Se supone que estás arreglando una ventana!

Y diciendo esto, se alejó por el camino.

Pedersen miró a Filip como si ambos fueran víctimas de la misma sumisión inevitable. Algo había de súplica en su mirada. Parecía decir: "Hay que tomar en cuenta que tiene más de setenta años y..."

—¡Maldita sea! —gruñó Filip al subir a la bicicleta.

Mientras le daba alcance se le ocurrió que, para tener más de setenta años, la baronesa conducía como una muchacha de catorce.

—¿Y tú? —dijo ella en cuanto Filip le dio alcance, en el cruce del camino con la Strandvej.

—¿Yo?

—Sí. ¿Cómo he de llamarte, ayudante del gruñón de Hódder?

—Filip.

Lo miró fijamente, como evaluado si la respuesta era la correcta.

—¿Y qué te parece si mejor te llamo... Tortuga?

Tanne se puso a pedalear con frenesí, a lo largo de la costera, y Filip se sorprendió a sí mismo intentando decidir qué tan malo sería ignorarla y volver al taller, pese al riesgo de que la loca anciana volviera a llamar a su tío con alguna mentira. Terminó por seguirle la corriente. En menos de un minuto volvió a darle alcance, completamente seguro de que la mala suerte lo perseguía.

—No lo haces tan mal, *bwana* Filip.

—¿Dónde queda eso? ¿Elsinore?

—Oh... a unas cuantas millas al Norte.

—¿Cuántas?

—No lo sé. Más de veinte, supongo.

—No estará usted hablando en serio.

Ahora pedaleaban a una velocidad más moderada.

—¿Por qué? ¿No quieres conocer el castillo de Hamlet?

—Eh...

—Me recuerdas a mi tío Laurentzius. No paraba de decir lo inapropiado que es que una dama suba a una bicicleta. ¡Si me hubiera visto cabalgar en Kenya!

Filip concluyó ahora que Tanne estaba completamente loca. Tal vez no de un modo peligroso, pero loca al fin. Siguió pedaleando a la par de ella, buscando la mejor forma de escapar.

—En realidad lo que quería decir...

—Lo sé, lo sé —frenó súbitamente ella, poniendo un pie sobre el camino y virando la bicicleta hacia el Sur—. Te diré lo que haremos. Si llegas a la esquina del *kaffebar* de Kristensen antes que yo, te dejo volver con Hódder. ¿De acuerdo?

—Umm... —Filip ya había frenado también, a pocos metros de ella.

—¿De acuerdo?

A Filip le pareció absurdo pero aceptó con una venia. Por mucho que ella se esforzara, era imposible que...

—Debes prometer no darme ninguna ventaja —repuso Tanne, doblando la pierna izquierda sobre el pedal.

Filip se dijo que, de cualquier modo, intentaría no alardear demasiado. La vencería con poca ventaja y volvería a su confortable trabajo en el taller.

—¡En sus marcas...! —dijo ella, echando el cuerpo hacia adelante, sobre el manubrio—. ¡Listos...!

Filip apenas se movió. De pronto le pareció que todo eso, en el fondo, era divertido.

—¡Fuera! —estalló Tanne.

Y Filip rompió a pedalear, no demasiado rápido pero sí con la suficiente velocidad como para despegarse de ella por varios metros. A los pocos segundos, aproximadamente a la mitad del camino entre la línea de salida y el Ballentin, miró hacia atrás por cortesía.

—¿Pero qué...? —tuvo que frenar en seguida.

No se veía a Tanne por ningún lado. La carretera estaba completamente vacía. Del lado derecho, apenas una pendiente que llevaba a la playa; del otro lado, la hierba crecida. Era como si a Tanne se la hubiera tragado la tierra.

Aguardó un poco. Tenía que haber una explicación. Comenzó a desandar el camino con lentitud.

—¡Ayúdame, *bwana* Filip! —escuchó el grito.

Se apresuró a ir hacia allá, hacia la pendiente. No se explicaba cómo había caído ahí. Tal vez hubiera perdido el control de la bicicleta por acelerar demasiado. Tal vez...

Acostó la bicicleta a la orilla del camino; luego, se aproximó a pie al lugar desde el que provenían los gritos y vio que, tras el cascarón de un viejo bote encallado en la arena, a la orilla de la carretera, se encontraba ella, agazapada. No se había caído. Más bien parecía...

En un segundo comprendió.

Tanne abandonó el escondite, sobre su bicicleta, a toda velocidad. Pasó al lado de él como un bólido.

En el tiempo que le tomó a Filip correr de vuelta hacia su propio transporte, recogerlo, subir y comenzar a acelerar, Tanne ya había llegado al Ballentin.

Al lado de dos pescadores que ingresaban en el *kaffebar,* la baronesa gritó victoriosa:

—¡Tortuga!

De: Álex <alex_mex96@gmail.com>
Para: <direccion@moontower.com>
Asunto: RE: Botón
Fecha: 24 de agosto de 2009

¿Ves? Por eso tú y yo no podemos tener una relación de ninguna forma. Pero no me importa, la neta. Yo no soy Guillermo ni Samantha. Cada quien es como es. Ya pedí perdón. Si no te gustó, pues ni modo. Ya le hablé ayer a Horte, le pedí disculpas y no se engoriló ni nada. Fin de la telenovela.
Y yo no inicié ese rumor. Tampoco lo detuve, pero yo no lo inicié.

Bye...

De: <direccion@moontower.com>
Para: Álex <alex_mex96@gmail.com>
Asunto: RE: Botón
Fecha: 24 de agosto de 2009

Álex:

En eso tienes razón, no eres Guillermo ni
Samantha. Y qué bueno. ¿Crees que porque ellos
vienen cada semana a vernos a tu abuela y a mí
los prefiero?
Estás equivocado. De hecho, creo que eso es
lo que podría hacer más rica nuestra relación...
si estuvieras interesado en reanudarla. Pero ya
no nos conocemos, Álex. ¿Cuánto tiene que no
hablamos bien? Desde que tenías ocho años, creo.
¿Cuánto ha pasado? ¿En qué grado estás ahora?
¿En primero de secundaria? Ni eso sé de ti.
En fin, creo que me interesaría más saber la razón
por la cual robaste el botón de Andersen, que el
dónde o cómo lo perdiste. Pero es tu decisión.

Tu abuelo

—Mantente lejos de esa casa, Dons. Es todo lo que voy a decirte.

Filip había decidido ir a la playa a recostarse viendo romper las olas cuando lo asaltó el recuerdo de lo que le dijo el tío Hódder.

—Mantente lejos de Frisch como si fuera el diablo. Y no hagas preguntas.

De cualquier modo, no tenía ningún plan de aproximarse. La tarde anterior, al regresar al taller, había forzado la ruta para pasar por delante de la casa de fachada azul solo por ver a la chica del cabello negro. No le importaba nada más. Sabía que no tenía oportunidad con ella, cierto, pero nada se perdía con preguntar. En todo caso, la respuesta del viejo Hódder lo había desalentado por completo.

Fue entonces cuando ocurrió el tercer y último encuentro definitivo de esta historia.

—*Hvordan er vejret, kaptajn?*

Filip levantó la vista. Un hombre gordo, maduro, de calva reluciente, anteojos de grueso armazón y calzón de baño hasta las rodillas, miraba hacia la línea del horizonte, de dos azules distintos. Se había detenido justo a su lado y llevaba bajo el brazo una toalla; en las manos, unas aletas que no hacían juego, un visor y una radio de transistores.

—¿Hace buen tiempo, capitán? —repitió el gordo.

Filip se incorporó, recargándose sobre sus codos. Ole arrojó su toalla al lado de la bicicleta de Filip y se sentó, prendiendo la radio al instante. Era esa hora de la tarde en que las gaviotas se suspendían de la carpa del cielo como si pendieran de hilos invisibles. Filip había ido a tenderse a esa zona de la playa convencido de que nadie lo molestaría, pues había tantas piedras y hierbajos que tirarse ahí no ofrecía ningún atractivo para nadie. Los barcos pesqueros atracaban más al Norte y los pocos bañistas solían usar la zona aledaña al embarcadero para darse un chapuzón. Pero, increíblemente, ahí estaba, a su lado, ese hombre miope, pasado de peso y entrado en años, buscando música en la radio.

—Gitte Hænning —dijo al dar con una voz aguda y melódica—. Mi diosa, mi diosa.

Filip pensó hablarle en inglés, fingir nuevamente... pero, por alguna razón, sintió que con los locos no tenía nada que temer. A Tanne, para empezar, la había catalogado así desde el principio, y no había tardado en confirmar que tenía razón. Resultaba —según el relato que la anciana señora le hizo durante el almuerzo que le invitó en el Ballentin— que había escrito varias novelas, que había vivido en África, que había cazado leones y volado en aeroplano, tomado el té con el Príncipe de Gales, y hasta conocía a Laurence Olivier y Marilyn Monroe... Más chiflada, imposible, concluyó Filip antes de despedirse de ella en la entrada de Rungstedlund. Pero le había simpatizado, eso también era cierto. Al final, el paseo a Elsinore había sido sustituido por un poco de charla. Y aunque estaba convencido de que el título de baronesa que ostentaba era una concesión que le hacían todos a su chifladura, decidió que él no tenía nada que temer con ella, que sus tres meses estaban completamente a salvo.

—¿Cómo está el tiempo, capitán?

Y ahora, por increíble que pareciera...

—No sé de qué me habla, amigo —respondió en danés.

—Nadar a Kyrkbacken, capitán. Un hombre tiene que hacer lo que tiene que hacer.

Filip imitó a Ole mirando hacia el mar, hacia el rítmico romper de las olas.

—Supongo.

Ole puso entonces la mano sobre la espalda de Filip como si fuera el acto más natural del mundo. Y este, desde luego, reaccionó como siempre lo hacía. Un manotazo violento al brazo de Ole, apartándolo.

—¡No me toque!

—Ooooh, capitán —dijo Ole, sin despegar la vista de su espalda—. Estupendo.

Volvió a intentar tocarlo y Filip le retuvo la mano. Hubiera podido torcérsela hasta hacerlo suplicar. Pero, por alguna razón...

—Estupendo, estupendo —agregó Ole. Luego, repentinamente, dejó de darle importancia y volvió a la radio—: Gitte Hænning, mi diosa —y luego, al mar—: Un hombre tiene que hacer lo que tiene que hacer, capitán.

Por unos veinte minutos, Filip se preguntó por qué no simplemente salía corriendo y dejaba a ese maldito lunático solo en la arena pedregosa. Pero acaso el canturreo de Ole al son de la música de los comerciales en la radio, como si en la vida no importara otra cosa; o acaso la extraña mirada inocente del maldito gordo; o que no dejaba de empujarse los anteojos con el dedo índice; o que...

—Nadar a Kyrkbacken, capitán. ¿Qué opina?

Habían pasado dos meses y algunos días.

—Estoy arreglando un inservible Mercedes 170 del '52 —se sorprendió diciendo.

—Un Mercedes —repitió Ole.

—Tío Hódder me dijo que si lo hago andar es mío, ¿entiendes?

—Es bueno el clima, capitán. Un Mercedes. ¡Estupendo, estupendo!

—La única condición que me puso fue que debía hacerlo por mi cuenta, ¿entiendes? Estoy a punto de terminar el ajuste de anillos del motor. Y lo siguiente es que dé marcha, claro —extrajo una cajetilla de Mónacos y encendió uno. El humo corría por sus mejillas al salir de su boca.

Gitte Hænning cantó su versión de "Agujetas de color de rosa" y, solo hasta que terminó, Ole volvió a hablar. Dijo, a voz en cuello:

—¡Estupendo, claro!

Las gaviotas jugaban a la inmovilidad.

—EN realidad tengo tres mil años. Y he cenado con Sócrates —dijo Tanne, levantando su copa de champán.

Filip le siguió la corriente forzando una sonrisa, alzando
su taza de café. Ahora la baronesa misma le llamaba por teléfono al taller para invitarlo a conversar en su casa. Era imposible no sentirse un poco ridículo. En algún lugar de sus
sueños ocurría eso mismo con la chica del cabello oscuro
de la costera pero, irónicamente, era la septuagenaria
señora del turbante la que le llamaba al final de la jornada.

Se encontraban en el Cuarto de Ewald, el estudio de
Tanne. Ella comía uvas de un plato y bebía, a lo largo de la
tarde, de una burbujeante copa de champán.

—Sí, sé que tú y la reina y toda su corte y la Gran Bre-
taña entera prefieren el té, pero el café te hace sentir bien
instantáneamente. Eso merece consideración tratándose de
una bebida que carece por completo de alcohol, ¿no crees?

Filip volvió a sonreír y a tomar de su taza. En realidad
no le molestaba. Tal vez hasta prefiriera el café al té, pero
estar ahí, como había estado en el Ballentin, mirando de
frente esos ojos tan llenos de *kohl,* esa cara tan pálida y
siempre sonriente, le hacía sentir que había gato encerrado, que nadie tiene esas consideraciones con un muchacho
extranjero sólo porque sí. Menos con un muchacho extranjero de su tipo.

Miró hacia la pared que tenía enfrente. De ella colgaba el mapa arquitectónico de una hacienda.

—Yo tenía una granja en África, al pie de las colinas del Ngong —dijo Tanne a manera de explicación.

"Sí, claro. Y yo tuve un castillo en Venecia", pensó Filip.

Sentados al escritorio en el que Tanne trabajaba, solo que limpio de libros y papeles, Filip pensó que sí debía hacerle una pregunta. Una sola, al menos.

—Quiero obsequiarte algo —dijo ella, poniéndose de pie, anticipándose a los pensamientos de Filip—. Es de un autor contemporáneo que no conoces. Lo lees y me das tu opinión sincera.

Syv Fantastiske Fortællinger, de Isak Dinesen, se leía en la gruesa tapa del ejemplar.

—¿Y por qué le interesa mi opinión, Tanne?

—Porque es lo que hacen los amigos, *bwana* Filip. Compartir cosas y comentarlas. Si quieres, puedes traerme un libro tú también. Y lo comentamos. Es la mejor forma de conversar, ¿sabes? Yo la llamo *symposium,* un poco a la manera de Platón. Elegimos un tema, digamos estos siete cuentos de Dinesen, y cada quien expone su punto de vista.

Filip sopesó el ejemplar. Lo puso al lado de su taza de café. Le pasó por la cabeza que él había viajado a Dinamarca solo para curarse de su adicción a la violencia. La lectura no era lo suyo, la verdad.

—Usted... —se animó a decir, evitando su mirada—. Usted... me tiene lástima, ¿no?

—¿Lástima? ¿Por qué? —pareció alarmarse Tanne.

—¡Vamos! —se molestó ante lo que creía demasiado obvio para ser explicado.

—¿Por tu...?

—Sí, por mi...

Iba a decir *joroba,* pero prefirió usar el término que le resultaba menos doloroso:

—...por mi problema de la columna.

Tanne dirigió, por muy breves momentos, sus ojos a la espalda de Filip, a la evidente curvatura en la parte superior del suéter de lana que llevaba puesto, a la franca desviación de los hombros.

—Vaya idiotez. Pensé que dirías que por tu infelicidad.

—¿Por mi qué?

—Por tu infelicidad.

—¿Pero qué rayos...?

—Hace falta valor para ser feliz, *bwana*. Y no me vas a decir que eres feliz. Tengo ojo para esas cosas, ¿sabes?

Filip se sintió, probablemente, más ofendido que si hubiera hecho mención a su columna vertebral retorcida; más que si se hubiera referido a él como Filip *the Freak* Dons, pero no entendía la razón.

—¿Me está diciendo amargado?

Tanne apuró, de un solo trago, su copa de champán.

—La respuesta es *no,* Filip. No te tengo lástima.

—¡No soy un amargado! ¡Nadie sabe...!

—Oh, nadie sabe lo que es vivir en tus zapatos, ¿no? ¡Pues claro que no, por Goethe, Hölderlin y Pasop! ¡Son tus zapatos! Y los míos son los míos. Y los de Clara, los de Clara, por si te lo preguntabas.

Filip se quedó sin palabras. Se puso de pie, enfurruñado. Su primer pensamiento fue largarse y nunca volver ahí. Pero sintió rabia. Mucha rabia. La misma que lo había acompañado desde esa infancia que no tuvo. Y no estaba acostumbrado a contenerla. Quiso levantar el mueble sobre el que se realizaba tan extraño brindis y que todo cayera al piso, romper los vidrios de las ventanas, desgarrar las cortinas, arrojar y hacer añicos las cosas.

—Es solo que veo cosas, no te pongas así— dijo Tanne con serenidad, levantándose.

Fue a un viejo gramófono que había dispuesto para la ocasión. Puso la aguja sobre el acetato y dio cuerda a la manivela. Comenzó a sonar una acompasada música de cuerdas.

A Filip le pareció absurdo. Desde que había decidido no volverse a dejar de nadie, había molido a golpes a todos los que se metían con él. Y en cambio, ahí estaba en un minúsculo cuarto confrontando a una anciana, apretando los puños, volviéndose loco de frustración.

—No te pongas así —insistió la baronesa, volviendo a su silla—. He visto, desde que nos conocimos, que eres muy infeliz. Pero también he visto otra cosa en ti que ya te diré en su momento y que fue lo que me hizo buscar tu amistad. Así que siéntate, disfruta de Tchaikovsky y tu café, y dime si deseas quedarte a cenar.

Filip estaba atónito. No podía sentarse. No podía siquiera mover un músculo. Al cabo de un rato, con muchos trabajos, se animó a decir:

—¿Y cuál es la gracia, "baronesa"? —cada una de sus palabras se abría paso a través de su garganta con dificultad—. Se le ocurrió decir que soy infeliz porque estoy deforme. ¡Qué gracia! Pues ya que estamos hablando, para mí, nada debería opinar una vieja loca que se inventa fantasías para hacer de cuenta que su soledad... no... no...

Filip no supo cómo continuar. Se sentía obnubilado, aturdido por la ira. Ella, después de aguardar algunos segundos, volvió a ponerse de pie con toda tranquilidad.

—Hay tres cosas que puedo hacer muy bien porque tengo el talento: cocinar, contar historias y cuidar de gente deschavetada. Y hay tres cosas que puedo ver aunque no me lo proponga, *bwana* Filip: la luna nueva, los tréboles de cuatro hojas y aquello de lo que está hecha una persona. Así que ni siquiera es culpa mía, no te ofendas.

Filip seguía cruzado de brazos.

—Ven —dijo la baronesa. Iba a tomarlo de la mano pero Filip se negó.

Ella salió del Cuarto de Ewald y fue hacia la estancia. Desde ahí, aprovechando para tocar un par de notas en el piano, volvió a llamar a Filip, quien aún se resistía a seguirla.

Fueron juntos a la parte trasera de Rungstedlund, a las orillas del estanque, a una hermosa alfombra verde de pasto y tréboles. Se anunciaba el ocaso, era la hora de las sombras largas, y aún así...

—Bien. ¿Cuántos tréboles de cuatro hojas quieres?

—No me haga reír.

—¿Siete? ¿Diez? Bien, que sean diez.

Tanne, sin siquiera reclinarse, comenzó a pasear la vista por la espesa aglomeración de tréboles. No pasaron más de diez segundos para que se agachara y arrancara uno, poniéndolo en la palma de su mano izquierda. Otros tantos segundos y algunos pasos y repitió la operación. En menos de dos minutos fue hacia Filip, quien, de brazos cruzados, la contemplaba a la distancia.

—Diez.

Tomó la mano de Filip y volcó en su palma diez tréboles. Todos ellos de cuatro hojas. Filip se cercioró a regañadientes de que no mintiera y los arrojó al suelo.

Convencido de que había trampa, fue a la zona en la que Tanne hizo su increíble recolección. Intentó hacerlo a la manera de ella, de pie y solo enfocando la mirada. Fue imposible. Se inclinó. Se arrodilló. A los cinco minutos aún no podía dar con uno solo. Miró de reojo a Tanne entrar a la casa y aprovechó para acercar más la vista a la tupida superficie. Era imposible distinguir, en la trama infinita de hojas y hojas, una forma definida. Empezó a ayudarse con las manos, separando, peinando, apartando... No podía creerlo... era imposible que... no podía...

El libro *Siete cuentos góticos* de Isak Dinesen cayó sobre el jardín de tréboles, frente a sus acuciosos ojos.

—En siete días hay luna nueva, por si quieres que también te haga esa demostración —dijo Tanne.

Y volvió a Rungstedlund sin mirar atrás.

De: Álex <alex_mex96@gmail.com>
Para: <direccion@moontower.com>
Asunto: RE: Botón
Fecha: 25 de agosto de 2009

Lo estuve pensando mucho para contestarte y lo
hago para poner en claro que no robé el botón por
fregar a nadie.
No me tomé la molestia de esperar a que todos
estuvieran en el jardín para quitar el marco de la
pared de la sala, sacar el botón y fingir demencia
cuando le cantamos "Las mañanitas" a la abuela.
No lo hice por fregar a nadie. Tampoco a ti, abuelo.
Aunque no nos llevemos, no creas que te odio
o algo así. Agarré el botón de Andersen por otra
razón, pero no sé si valga la pena contártela porque
a lo mejor me sermoneas o te burlas de mí o algo.
No sé... ya lo pensaré, porque, como dices, ya no
nos conocemos. Y quién sabe si no hasta va a ser
peor si te platico.
Te juro que ojalá pudiera regresar el tiempo para
reponer el botón y que cada quien siguiera con
su vida y ya, pero eso es imposible. La regué y ni
modo. Hasta te diría que le pusieras precio y te lo
pago, pero ya sé que es de esas cosas a las que
no les puedes colgar un signo de pesos. Ni pex,
perdón de nuevo...

Álex

—VAYA, vaya... eso sí es ayuda especializada —se burló el viejo Hódder al ver a Ole sosteniendo la cadena que, con ayuda de un par de contrapesos, tenía el motor del Mercedes en suspensión.

Filip, quien guiaba el asentamiento del motor en el chasis, no hizo ningún comentario. Supuso que el viejo lo decía por decir, pues para entonces ya sabía que su tío estaba convencido de que todos en Rungsted, Dinamarca, Europa y tal vez el planeta entero eran unos buenos para nada sin remedio. O casi todos. Desde luego que Jon, su exitoso hijo emplazado en Nueva York, se salvaba por mucho. Ese sí que había sabido hacer fama y fortuna, aunque nunca le enviara una sola carta y, mucho menos, un mísero dólar.

—¿Así que ahora te dedicas a componer autos, Ole? —bufó el viejo detrás del humo de su pipa.

—Sí, capitán —respondió Ole afianzando la cadena—. Claro, capitán.

Era el quinto día al hilo que ocupaba Filip en el Mercedes. En todo ese lapso solo un par de eventos habían apartado su vida de la rutina: el primero, la lectura de los *Siete cuentos góticos;* el segundo, cierto incidente en la playa que ocupaba su mente justo en ese instante. Respecto al libro de Isak Dinesen, había leído ya cuatro de los cuentos y se complacía en decir que no le gustaban en lo absoluto. Anhelaba terminar el volumen completo solo para echarle en cara eso a Tanne, *symposium* de por medio o no. Y respecto al incidente en la playa, ocupaba su mente en ese momento debido al empeño con el que Ole soltaba poco a poco la cadena para que él hiciera entrar el motor, recién reparado, en el chasis.

El incidente en la playa.

—Te agradezco mucho —dijo una voz cuando se sentó sobre la arena, recargándose en el talud a sus espaldas. Se trataba de una mujer madura, de cabello castaño claro, ojos pequeños, azules, y rostro redondo quemado por el sol.

—¿A mí?

—Sí, por mi hermano Ole, ¿sabes? —dijo ella, señalando al hombre que chapoteaba en ese momento en la orilla del océano—. No dejó de hablar de ti en toda la semana, y vino a buscarte todos los días.

—¿A mí? —repitió Filip.

—Sí. Por lo del auto.

Filip había ido a recostarse en la playa como en días pasados sin otro propósito que ver las olas romperse contra la playa. No obstante, Ole, a los pocos minutos, apareció por la Strandvej y se sentó a su lado, dijo algo de nadar a Kyrkbacken y, posteriormente, se metió al agua. Hasta las rodillas. Para Filip era un encuentro igual de surrealista que el anterior. Pero no lo cuestionó; últimamente se adaptaba con bastante facilidad a ese tipo de incidentes. Entonces apareció ella, la hermana.

—¿Lo del auto? No entiendo.

Se dibujó en ella una sombra de duda.

—Oh, probablemente... —titubeó—. Aunque no lo creo. Te describió bastante bien.

Filip prefirió no indagar cómo lo había descrito Ole.

—Me dijo que él y tú van a reparar un auto. Pero ahora veo que...

Filip miró a la distancia a ese hombre barrigón que, enfundado en aletas y visor, jugaba a brincar las olas. Una tras otra. Una tras otra.

Se le dibujó una sonrisa automática.

—Un Mercedes —exclamó con determinación—. Vamos a reparar un Mercedes.

—Oh... qué bien —concluyó ella, aliviada. Se arrodilló sobre la toalla de Ole—. Temí que lo hubiera inventado. Por cierto, soy Martha.

Filip le dio la mano y, luego, contempló cómo ella paseaba entre sus dedos los gruesos anteojos de Ole, con nerviosismo. Se dibujaba en su rostro la preocupación de años y años de batallar. Ya había visto esa mirada antes, en una mujer del East End cuya madre estaba parapléjica.

—No está bien, creo que ya te diste cuenta. Pero es un buen tipo. Eso te lo puedo asegurar. Solo te pido que no le des chocolates, lo ponen eufórico. Y que no hagas caso si te habla de nadar a Kyrkbacken. Es una fijación inofensiva que tiene desde niño. El pobre ni siquiera sabe nadar.

Le extendió un papel con un número telefónico garabateado, le pidió que le llamara si se ofrecía algo. Luego depositó junto a una maleta la toalla. Le dio la mano nuevamente, tal vez imprimiendo en el apretón más tiempo y fuerza de lo usual, y volvió a la carretera, a un auto en el que la esperaba un hombre. Probablemente su esposo.

Entonces ocurrió el incidente.

Quince minutos después, varios muchachos llegaron a la playa.

Eran tres de su edad, aproximadamente, y dos más grandes, cada uno en una moto tipo Vespa. A él no lo vieron, tal vez porque estaba totalmente recostado en la zona llena de hierba de la pendiente, a orillas de la carretera. Entraron a la arena y llamaron a Ole, quien se aproximó en seguida. A la distancia parecía una escena de camaradería, pero no pasó mucho tiempo para que, ante la sorpresa de Filip, Ole se quitara el traje de baño y se lo entregara. Los muchachos, riendo ruidosamente, se fueron de ahí a toda velocidad, abandonándolo desnudo.

Filip dejó pasar algunos segundos para ponerse en pie y llamar al gordo. Este acudió corriendo, inexpresivo. Siempre inexpresivo.

—¿Quiénes eran esos? ¿Por qué les diste tu traje de baño, Ole?

—Son mis amigos, capitán. Mis amigos.

—¿Pero por qué les diste tu traje?

—Son mis amigos.

—Te oí la primera vez, Ole. ¿Por qué les diste tu traje de baño a tus amigos?

—Lo necesitaban. Me dijeron que lo necesitaban, capitán. ¿Vamos a arreglar el Mercedes? ¡Estupendo!

Y ahora el gordo sostenía un motor suspendido con una polea. Pero la imagen de Ole desnudo y extraviado, poniéndose sus anteojos, escurriendo agua, canturreando mecánicamente —de seguro una de Gitte Hænning—, no abandonaba a Filip. Afortunadamente su hermana Martha le había llevado ropa en una maleta, si no...

—Claro, Ole. Vamos a arreglar un Mercedes 170 de 1952. ¿Te lo dije, no? ¡Claro que te lo dije!

Dio un salto de emoción mientras tomaba la ropa interior que le extendía Filip.

—¡Estupendo, capitán! ¡Estupendo!

De: <direccion@moontower.com>
Para: Álex <alex_mex96@gmail.com>
Asunto: Halo
Fecha: 30 de agosto de 2009

Bueno... no dirás que no hice la lucha. Claro que mi idea de acercamiento con un nieto no es sentarme a jugar Halo con él sin abrir la boca, pero peor es nada. Y no, no lo pensé, simplemente se me ocurrió saliendo de la oficina que en realidad tu casa me queda casi de paso y es cierto que nunca voy, ni siquiera con el pretexto de saludar a tu mamá.
Y pues que me decido. Ya ves que a tu mamá también se le hizo raro y me invitó a cenar pero preferí subir a tu cuarto en seguida. Eres bueno en los videojuegos, Álex. Pero es todo lo que puedo decir. Tan bueno como lo soy yo de malo. En fin, un abrazo de tu abuelo fuera de forma.

SE encontraba en el Ballentin, en el gabinete más retirado, terminando *Siete cuentos góticos* cuando los vio entrar. Dos de los muchachos que habían robado el traje de baño de Ole. Iban acompañados de una chica tan rubia como ellos. Y reían de bromas inofensivas.

Después de observarlos a la distancia, quiso sacar conclusiones pero no pudo. Desde luego, no eran un cliché del muchacho abusivo ni del acosador que molesta a los indefensos por pura diversión. Pero seguramente tampoco eran unos santos, y por eso decidió esperar a que se fueran para ponerse de pie. Aunque a simple vista parecían adolescentes comunes, sabía que era de ellos de quienes más se tenía que cuidar. Cualquier comentario sobre su deformidad haría explotar la bomba, y los dos meses y varios días de desintoxicación se irían por la coladera.

Para su fortuna, solo tomaron Coca-Cola fría y se marcharon.

Aunque también le molestaban las miradas de los adultos, ya estaba tan acostumbrado que no lo pensó dos veces para levantarse de su asiento. Pagó a Kristensen su consumo, aceptó los saludos para el viejo Hódder, y salió.

En menos de cinco minutos ya estaba descendiendo de su bicicleta, en Rungstedlund.

Cuando la señora Carlsen, el ama de llaves, lo condujo al

Cuarto de Ewald, Tanne tecleaba con parsimonia en su máquina de escribir Corona. Una copa de champán y un plato de ostras flanqueaban el negro armatoste.

—¿Por qué, si dices que tienes talento para cocinar, sólo comes ostras, uvas y champán?

Sin apartar la vista de la máquina y sin dejar de teclear, respondió:

—Soy vieja y como lo que me da la gana. ¿Terminaste el libro?

—Sí.

Para ser sinceros, Filip le había dado bastante importancia al asunto. Durante el tiempo en que los chicos de la playa estuvieron reteniéndolo en su asiento del *kaffebar,* estuvo apuntando sus ideas en una servilleta. Y llevaba más en varios papeles dispuestos en su casa. Quería estar listo para el *symposium.* Antes ya había oído a Tanne recitar pasajes de la Biblia, el Corán y obras de Shakespeare como si los estuviera leyendo. Sabía que era una loca fantasiosa y senil, pero también que era una loca inteligente. No quería ser apabullado a la primera. Si iban a discutir, lo harían del mejor modo.

—¿Y te gustó?

—No.

—¿Ningún cuento?

—No.

—Ni hablar. ¡Por cierto! Tengo un obsequio para ti.

Dejó de escribir y se apartó de la máquina. Fue al estante de libros que estaba detrás de ella y abrió una de las puertas. Filip se quedó de una pieza.

—¿No quieres que discutamos el porqué de...?

—No es necesario. Tus razones tendrás —sacó del estante un herrumbroso botón dorado de metal con un águila heráldica en el centro—. ¿Sabes a quién perteneció?

Filip apretó sus notas en el bolsillo trasero de su pantalón. Contó en inglés hasta diez. Y en danés hasta...

49

—¡Míralo! —le extendió Tanne el botón—. A ver si adivinas.

Filip tomó el botón. No tenía ninguna peculiaridad. Era un simple botón viejo.

—¿Cómo voy a saberlo?

—Inténtalo.

—No sé. ¿A tu abuelo?

—Cerca. ¡A Andersen! ¡A Hans Christian Andersen!

Filip la miró sin mucho convencimiento.

—¿"El patito feo"? —exclamó incrédula Tanne—. ¿"El traje nuevo del emperador"? ¿"Los gansos salvajes"?

—Ah, el escritor de cuentos para niños.

—El escritor de cuentos para niños —tronó los dedos—. Mi abuelo, Adolph Wilhelm Dinesen, viajó con Andersen, en 1833, de Milán a Roma. ¡Y se quedó con este botón de su casaca! Ha estado en la familia todo este tiempo. Y quiero que tú lo tengas.

No podía ser cierto. Y si lo era, ¿por qué...?

—Tengo la impresión de que algún día serás escritor —se apresuró a decir Tanne—. ¿Y qué mejor amuleto que el botón de la casaca de Andersen?

—No. No puedo aceptarlo.

—Oh, claro que puedes...

Filip sintió que volvía a molestarse, que la sangre amenazaba con hervirle de nuevo. Tal vez esa amistad fuera verdaderamente imposible. Tanne tenía una increíble capacidad para sulfurarlo. Tomó la mano de la baronesa como ella misma había hecho días antes para entregarle diez tréboles y la obligó a tomar el botón.

—No, no puedo. O mejor dicho... no quiero.

Tanne lo contempló por varios segundos, apretando el botón.

—No voy a ser escritor —dijo Filip un poco más moderado—. No me interesa para nada.

—Y sin embargo... ahí está.

—¿Ahí está qué?

—Eso que detecté en tus ojos el primer día.

—¿Y se puede saber qué es?

Tanne devolvió el botón a la vitrina. Cerró las puertas. Suspiró.

—¿Te conté, *bwana,* que vendí mi alma al diablo?

"Aquí vamos de nuevo", pensó Filip. Tomó una ostra, la vació en su boca y se sentó en la butaca que Tanne ponía siempre frente a su escritorio.

—Oh, vamos... —sonrió Tanne, ante el rostro férreo de Filip—. Sabes a lo que me refiero.

Filip cruzó los brazos. En verdad creía que esa amistad...

—No estoy hablando de misas negras, conjuros nocturnos o sacrificios de niños inocentes, *bwana.* Tú sabes a lo que me refiero.

—¿Por qué habría de saberlo?

—¿Traigo café, baronesa? —dijo la señora Carlsen, desde el dintel de la puerta.

—No, por el momento no. Vamos a salir, Clara —respondió Tanne, resuelta.

En cuanto la señora Carlsen desapareció, Tanne se sentó en la silla, hizo a un lado su máquina de escribir. Puso su mentón bajo sus enlazadas manos. Sus ojos chispeaban como pocas veces.

—Hay una metáfora bastante buena ahí. El diablo te ofrece el mundo entero... solo te pide a cambio tu alma. ¿Dónde está la metáfora? ¿Qué lugar ocupa el diablo?

Filip se sentía como en examen. No era la primera vez que le parecía no estar a la altura de la conversación, para ser honestos. Por eso había escrito sus ideas sobre el libro de Dinesen en hojas de papel y servilletas...

—No sé... eh...

—Piensa a qué entregarías el alma, *bwana* Filip, sin pensarlo dos veces. Piensa qué le pedirías al diablo a cambio de tu alma entera.

51

Filip llevó su mente a cierto lugar en que...

—¿Lo ves? ¡Ahí está!

—¿Está qué?

—No tiene nada que ver con naves espaciales, *bwana* Filip. Es otra cosa.

Lo recorrió un escalofrío momentáneo. Se preguntó si ella podría ver en su interior. Casi en seguida comprendió que lo habían delatado sus bocetos de cohetes y paisajes lunares, detrás de las hojas en las que había garrapateado sus ideas sobre *Siete cuentos góticos,* y que extrajo de su bolsillo involuntariamente.

—Es un buen principio, como sea. Yo lo sabía —resolvió Tanne, poniéndose de pie y tomándolo de la mano.

—¿Adónde vamos?

La baronesa se detuvo. En su mirada se encontraba el fulgor de los grandes exploradores cuando al fin dan con ese gran hallazgo, tan prometido a lo largo de extenuantes jornadas. Para ella eran las cascadas del Iguazú, la punta del Everest.

—A que conozcas al diablo.

De: Álex <alex_mex96@gmail.com>
Para: <direccion@moontower.com>
Asunto: RE: Halo
Fecha: 31 de agosto de 2009

La verdad fui el más grosero, abuelo.
No te merecías que ni te hablara.
Pero, si quieres que te diga la neta, no creo que valga la pena que te esfuerces tanto.
Yo soy el primero en odiarme por ser tan diferente, por no encajar en ningún lado, por ser como soy...
No sé qué más decirte, pero si quieres mejor ya le paramos ahí. En serio, abuelo. Ni tú ni yo queremos esto.
Tú estás en tus ondas y yo en las mías.
Sí te agradezco que hayas venido y todo, pero ya.

Álex

P. D.: No eres tan malo en los videojuegos. He visto casos peores...

El rubor en sus mejillas lo delató al instante. ¿Cómo era posible que lo supiera?

Ni siquiera había querido ir en bicicleta. Lo llevó caminando hasta ahí, como si obedeciera a un mandato ulterior, como si todo formara parte de un plan trazado mucho tiempo antes.

—No entiendo —se detuvo.

Tanne, para no soltarle la mano, también refrenó el paso.

—Piensa, *bwana*... ¿a qué le entregarías el alma sin titubeos?

Filip levantó la mirada. Hubiera tenido que admitir que estaba temblando de los nervios, y no por el ventarrón que venía del océano. ¿Por qué? ¿Tenía que ver con lo que le había dicho Tanne sobre el diablo? ¿O con esa extraña sensación de estar formando parte de algo que no comprendía?

Tal vez era la primera vez que estudiaba la casa azul de la Strandvej con detenimiento. Era de madera, tenía dos pisos tapizados de paredes blanquicelestes, seis ventanas y una hermosa veranda adornada con grandes macetones que albergaban plantas pobremente cuidadas. Una silla mecedora y una banca, ambas mirando hacia el oriente, hacia la costa. Una puerta de dos hojas. Escaleras cubiertas de hojarasca para llegar del jardín al porche. Uno de los postigos de las ventanas, mal asegurado, golpeaba rítmicamente, como dotando de cierta vitalidad animal al inmueble. Y nervios, muchos nervios. Las manos le sudaban a Filip como nunca. Como si fuera a enfrentar al más rudo, violento y despiadado contrincante.

—La pasión es la respuesta, *bwana*. El diablo se oculta tras la pasión. Y el pentáculo es esa edad en la que estás ahora y que es perfecta para sentir la vida al máximo: la adolescencia. Pero no te espantes —rió de buena gana, ante la cara de Filip—. Es una metáfora, ya te lo dije. No se te va a aparecer un macho cabrío en la noche. Pero hay algo de demoniaco en la pasión, eso es cierto. Porque te lo demanda todo. Porque le entregas el alma.

—¿Y por qué hemos venido aquí...?

—Ya te dije: es un buen principio. La pasión romántica es un buen principio.

Filip se dejó conducir hasta el inicio de las escaleras. A los lados de la casa no había más inmuebles; era como si hubiera sido edificada ahí como un pequeño castillo, uno que solo recibiría a ciertos espíritus privilegiados. Volvió a mostrar resistencia.

—¡Está bien, está bien! Lo admito. Ya me había fijado antes en... digamos... en esta casa en particular. ¿Pero cómo lo supiste?

—Si de veras necesitas saberlo, pasaba en el auto con Alfred un día que estabas detenido justo ahí —señaló cierto punto en la carretera—. Y debiste ver tu cara.

Lo tironeó y Filip volvió a oponerse.

—Pero... tú no entiendes, Tanne. Es que... es que...

Tanne se cruzó de brazos, lo contempló como si tuviera cinco años. Sonrió.

—No tienes nada que temer, créeme.

—¿Tú qué sabes? —exclamó con un dejo de molestia que encapsulaba todas y cada una de las veces en las que, allá en Londres, había tenido que ocultar el dolor que le causaban ciertas miradas femeninas.

—Oh, claro que lo sé. Por eso te digo que...

—¡En serio, Tanne! —levantó la voz, molesto—. ¡No tiene ningún caso!

—Pero es que...

—¡Entiéndeme, te di...!

—¡El que no entiende eres tú, Filip!

—¡No tienes ni idea, Tanne, de lo que...!

—¡Está ciega!

El fragor del viento envolvió a Filip como un capullo invisible a una crisálida. Repentinamente sintió que el viaje a Rungsted, la estancia en la casa del viejo Hódder, la propuesta de tres meses del sargento Walls... todo formaba parte de un conjunto incapaz de ser apreciado a simple vista —al menos para los mortales como él, como Filip Dons—, pero que tenía su propia magia y su propia razón de ser.

—¿Qué dijiste?

—Que está ciega. La chica Frisch. Está ciega.

Filip se dejó conducir mecánicamente. Subieron los escalones. Se detuvieron frente a la puerta.

—Solo un par de cosas, Filip. Esto lo hago porque sé que ahí dentro —señaló al pecho del muchacho— hay una pasión que merece despertar. Y que no tiene nada que ver con un viejo cacharro que no camina, con dibujos de alienígenas o con tu pasado. Tiene que ver con tu futuro, y apuesto a que hay letras en él. Letras, muchas letras. Relatos, poesía...

Filip, que no había conocido a su madre, sintió algo nuevo en su interior. Algo que no supo identificar porque jamás lo había experimentado. Apretó los labios.

—Y también debes entender que la moneda de cambio del diablo, como cualquier otra moneda, tiene dos lados. Cuando tú lo entregas todo por una pasión, también lo recibes todo. Eso incluye lo bueno y lo malo. Detrás de esa puerta, Filip, hay una historia. Hay flores pero también abrojos. Si llamamos a la puerta, tienes que comprender que...

Para Filip era como haber despertado de un sueño. Tenía el corazón henchido. Se alació el cabello, atado en una coleta. Él mismo hizo sonar la aldaba.

De: Álex <alex_mex96@gmail.com>
Para: <direccion@moontower.com>
Asunto: Poesía
Fecha: 2 de septiembre de 2009

Abuelo:

Okey, en agradecimiento por los discos de Mahler que me mandaste y porque mi amiga Pato piensa que es lo correcto, te cuento: todo tiene que ver con la poesía. Ahora sí, búrlate si quieres.

Robé el botón de Andersen porque estoy tratando de escribir un libro de poemas y me siento atoradísimo, tan atorado que pensé que necesitaba una ayuda del cielo. Y por eso, el día del cumple de la abuela, me aventé el tiro de sacar el botón de su marco. Si hubiera sabido a dónde ir a buscar la pluma de Bukowski, hubiera ido mejor allá y no te la aplico con tu botón. Pero ya ni modo... era lo que había a la mano y... bueno.... ya ni sé qué decirte...

Ya pasaron casi dos semanas y me sigo sintiendo de la fregada...

Qué mala idea. No solo sigo atorado sino que hasta perdí tu botón. Pero bueno, esa es la verdadera razón, abuelo. Como te dije, no hay mala onda contigo ni con nadie.

Poesía...

No sé por qué les espanta tanto.

¿Te acuerdas de cuando estaba más chico? Se les hacía chistoso que me gustara tanto leer. Y también que me embobara con los discos de los *soundtracks* de las películas que tiene mi tío Ole arrumbados.

O sea, siempre fui diferente. Y el que no me lata acompañar a Jorge y a mi papá a los partidos los pone bien mal.

Por eso ni quiero decirles que estoy escribiendo poesía.

Si de por sí no me bajan de raro porque me gusta la
música clásica y porque leo libros gordos. Y porque
me visto siempre de negro.

Poesía...

Esa es la única verdad, abuelo. La única verdad
de Alejandro García Dons, tu servidor. Esa y la
existencia en el mundo de una chava que se llama
Doris. Pero eso sí no es de tu incumbencia.

Ah, y voy en segundo de secundaria...

El Álex

LA voz en la radio anunció que lo que acababa de disfrutar la audiencia eran las danzas húngaras de Brahms. Luego habló del clima. Filip se sorprendió sonriendo en el reflejo de la sopa de papa que había preparado el viejo Hódder.

—¿Qué es tan gracioso?

Filip no respondió.

—Supongo que no es la danza número cinco lo que te tiene tan contento —añadió Hódder sirviéndose un poco más de agua.

Era imposible no sentirse así, entre nubes.

—Ni de ese modo conseguirás que ponga en la radio esa música de simios que oyes tú, Dons, te lo advierto.

Violeta. En cuanto Ellen Frisch abrió la puerta, Filip tuvo que admitir que nunca había visto unos ojos como esos. Violeta. ¿Sería porque la luz no entraba por ellos? Violeta, inverosímiles. El contraste con la nacarada piel y el oscurísimo cabello los convertía en un par de gemas. Filip se arrepentiría toda la noche de tan pobre metáfora, pero no había podido encontrar otra. Un par de joyas preciosas e irrepetibles.

—¿Sí? —dijo ella con la hueca mirada puesta en el infinito.

—Soy yo, Ellen —anunció Tanne.

—¡Baronesa! ¿A qué debemos el honor? ¡Pase, por favor!

Y la sonrisa. Los labios eran otra pobre metáfora en la

mente de Filip: una encendida rosa de un brillante rojo arterial, posada sobre un montículo de nieve. Al verla así de cerca, comprendió a lo que se refería Tanne minutos antes, pues habría hecho cualquier pacto con el mismísimo Satanás por permanecer ahí para siempre. Reconoció que estaba perdido.

—No vengo sola. Me acompaña un nuevo vecino.

—Oh... entonces pasen —resolvió Ellen apartándose.

Filip se apresuró a seguir a Tanne. En la austera estancia solo le llamó la atención un cuadro enorme que ocupaba prácticamente toda la pared. En letras de madera pulida sobre paño rojo se leía *Jesus ved alt om dig:* Jesús lo sabe todo de ti.

Tanne se sentó en el sofá y llevó a Filip a su lado. Ellen los imitó, ocupando el sillón que los confrontaba. Filip se prendó de ella, casi conteniendo la respiración. Llevaba un sobrio vestido largo negro con encajes en los puños y el cuello, zapatos cerrados de piso y el cabello detenido con una diadema.

—Se llama Filip. Filip Dons. Viene de Inglaterra y tiene catorce años, como tú.

—Yo cumplí quince en agosto, baronesa.

—Discúlpame. Suelo perder la cuenta con esas cosas. El caso es que Filip está de paso y no tardará en volver a Londres. Y bueno... me ha pedido un par de favores pero yo no tengo tiempo, así que pensé en ti.

Filip miró con todo descaro a Tanne.

—Si puedo... con todo gusto, baronesa.

—Filip es un joven estudiante de poesía y necesita alguien que le ayude a mejorar. Por supuesto, recurrió a mí, pero yo no tengo tiempo, y me da mucha pena que haya hecho tan largo viaje para nada. Así que se me ocurrió que tú le ayudes.

Filip hubiera deseado dar un merecido codazo a Tanne, pero temió estropearlo todo o que Ellen se percatara.

61

—Pero, baronesa —sonrió Ellen desconcertada—, yo no sé mucho de poesía.

—Oh, eres una chica y tienes un espíritu sensible. Con eso bastará por el momento. Lo que quiero es una sincera opinión para que mejore sus versos. Ya luego le ayudaré yo por correspondencia, cuando haya vuelto a su país.

Filip sentía que le daba vueltas la cabeza. ¿Poesía? Era una venganza. Seguro era una venganza.

—Esto es por los *Siete cuentos góticos,* ¿verdad? —refunfuñó entre dientes.

—¿De qué hablas, *bwana?* —respondió Tanne de la misma manera.

—No creas que no me di cuenta. Isak Dinesen y tú están relacionados. Tu abuelo, lo dijiste hace rato, se apellidaba Dinesen.

—¡Oh, así que eres perspicaz! Eso me gusta —concluyó Tanne, para luego alzar la voz de nuevo—. ¿Entonces, Ellen? ¿Puedo contar contigo?

Ella titubeó y hasta ese momento pensó Filip que también era posible que no ocurriera el milagro. Que en verdad tuviera que invocar a Lucifer para que le concediera sus favores.

—No lo sé, baronesa. Es que...

—Sí, sí. Tu padre —reconoció Tanne—. No tiene por qué enterarse. Siempre vuelve cuando ya ha oscurecido, ¿no?

Ellen asintió, pero se le notaba preocupada. Filip, pese a sus más fervientes deseos, supo que tampoco se trataba de forzar la situación. Finalmente, nunca dio por sentado que el milagro fuera posible.

—No te preocupes, Ellen —dijo con sinceridad, poniéndose de pie—. Si no puedes...

Ellen miró hacia él, pero atravesándolo. Sonreía nerviosamente. Para Filip, con esto se volvía aún más encantadora. De todos modos, nunca dio por sentado que...

—Eh... ¿qué es lo que tengo que hacer?

—Solo escuchar —se anticipó Tanne—. Escuchar y opinar. Es todo. Y echarlo de tu casa antes del ocaso, claro.

—¿Se puede saber qué te tiene en tal estado de imbecilidad, Dons? —escupió el viejo Hódder, arrancando a Filip de sus recuerdos—. En la mañana te equivocaste tantas veces en el taller que más me valdría contratar a un individuo manco. Y ahora... van tres veces que tiras la pimienta en la mesa y dos que tomas del vaso vacío. Qué te pasa, ¿eh? ¿Estás fumando hierba o qué?

De: Álex <alex_mex96@gmail.com>
Para: <direccion@moontower.com>
Asunto: ¿¿¿???
Fecha: 4 de septiembre de 2009

Deja de mandarme discos, abuelo.

De: Álex <alex_mex96@gmail.com>
Para: <direccion@moontower.com>
Asunto: RV: ¿¿¿???
Fecha: 5 de septiembre de 2009

Y libros.

De: Álex <alex_mex96@gmail.com>
Para: <direccion@moontower.com>
Asunto: Poesía 2
Fecha: 7 de septiembre de 2009
Adjunto: poemasvarios.doc

Okey, ¿qué quieres? Las nueve de Beethoven con Leonard Bernstein y la sinfónica de Viena. La obra completa de Octavio Paz. La de Pellicer. Bueno... está bien.
Está bien, abuelo.
No puedo decir que no me haya dado gusto que me llamaras ayer.
Estaba bien *down* y tu llamado me hizo sentir menos mal.
Bueno, gracias. Gracias por llamar, por decir que te puedo contar y que no vas a ir de chismoso con nadie.
Pero se siente raro. Tú tienes, ¿cuántos? ¿Sesenta y tantos? Se siente raro. No sé.
De veras a veces me gustaría ser como Jorge, tan parecido a mi papá. O como Pau, tan parecida a mi mamá. A mí me tocó ser el raro. El bicho raro de la familia.
A veces me gustaría despertar un día y que me latiera oír a Maroon 5 o a Taylor Swift o leer sagas de vampiros.
En fin.
Se llama Doris y tiene veinte. Me cuidaba cuando era un chavito.
Me la encontré un día en el Superama de aquí cerca porque vive también aquí en la Condesa. Yo iba a comprar un detergente que me encargó mi mamá y ella, pan para la merienda. Nos saludamos después de tanto tiempo. Luego nos formamos juntos en la caja
y terminé acompañándola a recoger un libro que dejó en la paquetería. No sé si a ti te ha pasado algo así, abuelo. Como si nacieras de nuevo. Como

cuando despiertas de un sueño súper pesado y la luz del sol te da con todo en la cara. Búrlate, pero para mí fue como cuando oí por primera vez el adagio de cuerdas de Barber. Una música bella y triste que se te mete hasta el espíritu y hasta las muelas. Pues eso más o menos sentí cuando, después de acompañarla un rato hacia su casa, le pedí que me leyera un poema que le gustara de su libro. Y pues así, a media calle, sin decir ni agua va, que se arranca con uno de Vicente Aleixandre.

No sé si a ti te pasó alguna vez, abuelo, pero fue como si Doris pudiera meter su mano hasta mi corazón y apretarlo durísimo.

Tiene veinte años. Está estudiando Filosofía en la UNAM. ¿Qué tiene que hacer un baboso de catorce años como yo enamorándose de una chava así?

A lo mejor que, aunque usa lentes y está super flaca, lee poesía, y le gusta un grupo que se llama Trova Cubana, y no se burló de mí cuando le conté que mi música preferida es la de Debussy y que me gusta mucho leer. Hasta se sorprendió cuando le conté que he leído casi todo Cortázar.

El caso es que le pedí su correo y me puse a escribir poesías de la nada. Las peores del mundo pero ya ni modo.

Te mando lo que he escrito, a ver qué te parecen... pero no se las enseñes a nadie, porfa.

Saludos.

Álex

Había aplazado la primera cita dos días para poder escribir algo que se pareciera mínimamente a la poesía. Incluso viajó a Copenhague, ida y vuelta el mismo día, para hacerse de un par de libros y considerar la posibilidad de un plagio, lo que terminó por descartar pues temía que Ellen lo descubriera.

Al final pudo armar algo muy pobre, con metáforas espantosamente obvias, pero que eran mejor que nada.

—Capitán, ¡estupendo! Hace buen tiempo, ¿no, capitán? —dijo Ole, sorpresivamente, cuando Filip salió por la puerta.

Recién bañado y peinado, llevaba algunos libros metidos en su mochila de correas, al lado de su cuaderno de notas poéticas, dos botellitas de Coca-Cola, una docena de galletas que la señora Carlsen horneó especialmente para él y una cajetilla de Mónacos, cuando se encontró a Ole aguardando de pie a media calle, empujándose las gafas con el dedo índice, mirando en esa dirección.

—Hace buen tiempo, ¿no, capitán?

—Es posible, Ole. ¿Qué estás haciendo aquí?

—El Mercedes 170, capitán. Estamos arreglando un Mercedes 170, hecho en Alemania en 1952.

—Claro, Ole —dijo Filip—. Pero quedamos en que necesitamos un distribuidor nuevo, ¿lo recuerdas?

—Un distribuidor nuevo.

—Sin un distribuidor no podemos continuar —agregó mientras trepaba en la bicicleta—. Y tío Hódder no piensa obsequiarnos uno. ¿Recuerdas lo que dijo? "¡Te dije que debías echar a andar el armatoste tú solo!" ¿Recuerdas?

—Tú solo, sí. Tú solo.

—Bueno, eso no te excluye a ti, Ole. Pero antes necesitamos un distribuidor.

—Un distribuidor. Un distribuidor hecho en Alemania —miró hacia arriba por un momento, como si esperara ver bajar del cielo un distribuidor en paracaídas—. Buen clima, ¿no, capitán? Buen clima.

Filip pasó a su lado en la bicicleta, le dio un puñetazo cariñoso en un hombro y salió despedido a lo largo de Hestehaven. En menos de tres minutos ya estaba en la costera, pedaleando a toda velocidad hacia la casa de Ellen Frisch. El viejo Hódder dormía la siesta de su cotidiano brandy en esos momentos. Por la mañana, Filip se había esmerado en el taller para que no hubiera necesidad de quedarse hasta tarde. Lavó la loza y dejó todo listo para la cena, que debía preparar antes de las nueve. Nada podía salir mal.

Subió los peldaños hacia el porche, recargó su bicicleta en la banca y llamó a la puerta.

—Hola, Filip —dijo Ellen haciéndose a un lado, tendiéndole una mano. Ahora tenía puesto un vestido gris que también le llegaba a los tobillos. La misma diadema, la misma sonrisa. Al darle la mano, Filip sintió, acaso por primera vez en varios años, después del cabello largo, su primer cigarrillo y el tatuaje en el cuello, después de que hubiera empezado "todo eso", como lo llamó el tío Bob, una felicidad real y no imaginada.

—Hola, Ellen.

Parecía un sueño. A solas con la chica más hermosa que jamás hubiera conocido. De pronto se le antojó dar gracias a Dios por ello, por haber peleado hasta el límite de sus fuerzas por tres años, por su sangre vertida, los huesos rotos, las luxaciones, las torceduras, los hematomas, pues eso había significado un viaje sorpresivo a Rungsted, la posibilidad de estar a solas con la chica más hermosa del mundo entero.

Nunca había sido religioso ni por asomo. Ni pensaba serlo en lo sucesivo. Pero ese sentimiento de gratitud se quedaba suspendido en la nada si no lo dirigía a algo, a alguien. Y por eso pensó en Dios. O probablemente por ese enorme cuadro, el único que adornaba las desnudas paredes de la casa de Ellen: *Jesús lo sabe todo de ti.*

—¿Dónde quieres que me siente? —preguntó, tal vez demasiado entusiasta.

—Eh... ahí —respondió Ellen, señalando con precisión al mismo sofá que ocupara unos días antes en compañía de Tanne.

—Traje refrescos y galletas. ¿Quieres?

—Preferiría que comenzáramos, si no te importa.

Filip advirtió que la sonrisa no era exactamente la misma de la vez anterior. Una pequeña incomodidad se transformó en picazón en el cuello. Se rascó, puso su mochila en el suelo, extrajo su libreta de poemas.

Unos cuantos segundos y ahora estuvo seguro: Ellen estaba haciendo eso completamente obligada. Era de esperarse. Suspiró. Se decidió a terminar pronto con todo. Buscó en la libreta lo que fuera menos embarazoso. Pasó una tras otra las páginas, las regresaba, las volvía a pasar. Nada le satisfacía. Hubo un momento en el que se animó a fingir que estaba buscando cuando en realidad miraba con toda impudicia a Ellen. Tal vez fuera algo que no se repetiría nunca.

—¿Pasa algo? —dijo ella.

—Sí, es que... es que... —regresó la mirada a su cuaderno.

—Tal vez prefieras contarme la verdad —sentenció ella.

Filip agradeció que Ellen no pudiera ver su turbación. Volvió a rascarse el cuello.

—No sería la primera vez que lo hace, ¿me entiendes?

69

La baronesa Blixen. Hace este tipo de cosas todo el tiempo: inventar historias para generar historias, dice ella. Me imagino que no eres inglés. O no eres poeta. O ni siquiera tienes catorce. No lo sé.

Filip buscaba cómo empezar. Ya había cerrado su libreta. Ella volvió a anticiparse.

—Si eres inglés... ¿Cómo es que hablas tan bien el danés?

Eso era fácil de responder. Sintió alivio.

—Toda la familia de mi padre es de Dinamarca, y aunque él sí nació en Inglaterra, me hablaba en danés desde pequeño. Hódder Jensen, el mecánico de la calle Hestehaven, es primo segundo de mi padre, y me estoy quedando con él. Mi madre sí era cien por ciento inglesa.

—¿Era? ¿Ya murió?

—Sí.

—Lo siento.

—Está bien.

—Di algo en inglés.

—*You are the most beautiful girl in the whole world.*

—¿Qué significa?

—"El desayuno está listo, apúrense porque se está enfriando".

Volvió la sonrisa a Ellen. Era un avance.

—¿Y sí quieres ser poeta?

Había imaginado que estaría ahí, con Ellen, hablándole de sus ojos, sus labios, su piel, siempre en tercera persona, una declaración de amor oculta entre las farragosas frases que con tanto trabajo había gestado en la intimidad de su habitación. Pero, por alguna razón, escogió eso otro que nacía con timidez entre ellos, un acercamiento sin secretos, sin mentiras. Tal vez porque se sentía mucho mejor que el forzado montaje de Tanne.

—La verdad, no. Tienes razón. Todo se lo inventó Tanne.

—¿Tanne? ¿La baronesa?

—Sí.

70

—Curioso que la llames así.

—Ella misma me lo pidió.

Solo se escuchaba el reloj de péndulo de la extremadamente sobria estancia. La carencia de cuadros, de motivos alegres, de un solo color chispeante en toda esa planta, hubiera podido poner nervioso a Filip. En cambio, le parecía el escenario perfecto para estar con alguien como Ellen, para contemplar unos ojos como los de Ellen. Y le tranquilizaba. Estar ahí, charlando trivialidades con ella, con ese patético telón de fondo gris que no hacía otra cosa que resaltar su extraordinaria belleza.

—Y no deseas ser poeta, Filip.

—No.

—Entonces... ¿qué haces aquí?

Hubiera querido ser absolutamente sincero con ella, pero estaba seguro de que eso solo lo llevaría a hacer un papelón. Prefirió trabajar una leve mentira.

—Me aburro mucho con el tío Hódder.

—No te comprendo.

—Le pedí a Tanne que me presentara a alguien de mi edad.

—Pero yo no creo ser la mejor opción. No tenemos televisión, ¿sabes? Ni radio. Y además, estoy ciega. No tengo permiso para salir de casa. Sé poco del mundo. Muy poco. Probablemente te aburrirás más conmigo que con tu tío.

Lo siguiente fue para Filip tan natural, tan fácil, que se sorprendió a sí mismo cuando se oyó decirlo.

—Tal vez por eso seas la mejor opción, Ellen, porque yo, por el contrario, creo que sé demasiado del mundo. Demasiado.

Ellen sonrió. Se mordió el labio. Filip supo que se quedaría con esa imagen hasta el final de sus días, pasara lo que pasara. Ellen Frisch mordiéndose el labio inferior, inmensamente hermosa.

ERA imposible que se vieran los fines de semana. El sábado, Ellen tenía bastante trabajo doméstico en casa, y el domingo era día "de guardar": de ir a misa, leer la Biblia y meditar sobre los propios pecados. A Filip la explicación le había parecido un tanto exagerada, pero no quiso hacer un solo comentario. Ya le parecía bastante increíble poder verla todos los demás días de la semana.

Gitte Hænning sonó en la rockola del Ballentin.

—Mi diosa —afirmó Ole, dando un gran sorbo a su malteada.

Los sábados el viejo Hódder solía ir a Copenhague de compras por la mañana y, por la tarde, a jugar baraja con los pescadores. Filip los dedicaba a la reparación del auto, a mirar la televisión o andar en bicicleta. Pero no ese sábado. El corazón amenazaba con salírsele del pecho. Y no necesitó pensarlo mucho para decirle a Ole, cuando se presentó en su casa, estrenando un overol nuevo:

—Hoy puede esperar el Mercedes, Ole. Vamos por un refrigerio. Yo pago.

—Claro, capitán. ¡Un refrigerio!

Tenía decidido salir, dar una vuelta en la bicicleta, pasar como por casualidad frente a cierta casa en la Strandvej, pero, al encontrar al obeso hombre de los anteojos de pie en la calle, jugando con los dedos de su mano, mirando al cielo, cambió inmediatamente de planes.

Un par de malteadas en el gabinete del fondo del Ballentin no eran tan mala idea. Luego, ir a tirarse de espaldas a la playa.

—Mi diosa.

Filip sonrió. Vainilla y vainilla. La mañana era brillante y calurosa. La vida, todo lo buena que cabe esperar.

—¡Ole! —dijo una voz en la entrada del *kaffebar*—. ¿Nadaste por fin a Kyrkbacken?

Filip, de espaldas, giró un poco el cuello. Era uno de los muchachos rubios que aquel día habían dejado a Ole en cueros a mitad de la playa. Uno de barba tupida compraba cigarrillos.

—¡Un hombre tiene que hacer lo que tiene que hacer! ¿O no, Ole?

Kristensen, detrás de la barra, negó con la cabeza.

—No molestes al infeliz, Gustav —contaba el cambio que debía entregarle.

—¿O no, Ole? —gritó el muchacho—. ¡Un hombre debe hacer lo que tiene que hacer!

—¡Sí, capitán! —respondió Ole, sin mirar siquiera en esa dirección—. ¡Sí, capitán!

—Largo de aquí, Gustav —dijo Kristensen una vez que terminó de despacharlo.

El muchacho abandonó el lugar riendo. Filip, del otro lado de la mesa, trató de estudiar la reacción de Ole, quien postergaba, al igual que él, el final de su malteada.

—Mis amigos, capitán. Mis amigos.

Filip se esmeró pero no pudo hallar nada significativo en sus ojos. Miedo, rencor, recelo, alegría... para variar, el rostro inexpresivo de Ole no denotaba un solo sentimiento, así que no quiso darle importancia a algo que al mismo Ole no parecía preocuparle.

—Una llamada para ti, Filip —dijo Kristensen, repentinamente, señalando el teléfono en la pared.

Por dos breves segundos Filip deseó que hubiese ocurrido un milagro: Ellen en la línea. "Mi padre no está en casa, ya terminé mis obligaciones; ¿quieres venir?"

—Filip, habla Martha, la hermana de Ole. Está ahí contigo, ¿verdad?

—Sí, señora.

—Lo que consuma yo te lo pago.

—No es necesario.

—Insisto.

—De veras, no me molesta.

—Bien, entonces, gracias. Un día debes venir a la casa a cenar con nosotros.

—Claro.

—¿Notaste que se compró un overol idéntico al tuyo? En fin. De nuevo, gracias. Cuando te hartes de él, solo invéntate algo. Sabes que conoce el camino a casa.

Filip colgó.

—Tienes amigos interesantes, Filip Dons —dijo Kristensen mientras revisaba una cuenta en la sumadora.

—Sí, puede decirse.

—¿Y cómo te fue el otro día con la baronesa?

—¿Respecto a qué?

—Ibas a darle tu opinión del libro ese que escribió hace ya tantos años, *Siete cuentos góticos.* Supongo que no fue una discusión fácil.

—¿Cómo dijo? ¿Que *escribió*?

—Sí. ¿Pretendes hacerme creer que no lo sabías? ¡Si lo escribió en la década de los treinta!

Ole atisbaba a través de la ventana. Seguramente no terminaba su malteada porque Filip aún no acababa la suya. Algo mascullaba el gordo en voz baja.

—No entiendo —dijo Filip, contemplando desde la barra a Ole, que se empujaba los anteojos repetidamente—. ¿El de Isak Dinesen?

—Es su seudónimo —rió Kristensen, levantando la vista

por primera vez—. ¡En serio no lo sabías!

Filip se maravilló involuntariamente. Veía a Tanne trabajar en su vieja máquina de escribir, en el cuarto de Ewald, pensando que era incapaz de escribir dos líneas. En cambio, tenía todo un libro publicado.

—Así que tiene todo un libro publicado... —delató sus pensamientos.

Kristensen de plano abandonó lo que estaba haciendo.

—¡En serio no tienes ni idea! Espérame aquí —traspasó una puerta que estaba directamente detrás de él. No tardó prácticamente nada. Le entregó un libro—. Me lo regresas cuando lo termines.

Out of Africa, de Karen Blixen, una edición de pasta dura en inglés. *Memorias de África.*

—Amigos interesantes —repitió Kristensen, volviendo a sus cuentas—. Tal vez deberías enterarte que estuviste, en este mismo establecimiento, compartiendo el café y la charla con una escritora que ha estado nominada dos veces al premio Nobel de literatura.

—Buen clima —exclamó Ole al término de una canción en la rockola.

De: <direccion@moontower.com>>
Para: Álex <alex_mex96@gmail.com>
Asunto: RE: Poesía 2
Fecha: 9 de septiembre de 2009

Álex:

Si alguien en el mundo no sabe nada de poesía,
ese soy yo. Pero me puse a buscar en el librero y di
con todos esos libros que te mandé. Por supuesto,
tu abuela estuvo de acuerdo. (Notarás que algunos
están dedicados, se ve que yo se los compré
hace años; no hagas caso de mis cursilerías de la
primera página; todo lo que dice después de "Para
Nora", haz como si no existiera).
Perdón que te conteste hasta ahora pero he tenido
mucho trabajo en la oficina. Además tuve que viajar
a Los Ángeles a media semana.
Como sea, qué bueno que te hayan gustado los
libros.
Leí tus poemas, claro, pero no sé qué opinar. Como
me dijiste que no se los enseñe a nadie, pues yo
chitón, pero te agradezco la confianza.
Por cierto, ¿qué tal están las sinfonías de
Mahler? Yo sé poco de música clásica pero no
me molestaría aprender. Tu abuelo sigue siendo
un nostálgico que solo oye a Elvis Presley, Little
Richard, Los Beatles...
Respecto a lo otro, solo se me ocurre decir que no
hay nada de malo en que te hayas enamorado. Uno
no decide esas cosas, esa es la puritita verdad.

Abrazos.

El abuelo

De: Álex <alex_mex96@gmail.com>
Para: <direccion@moontower.com>
Asunto: RE: Poesía 2
Fecha: 10 de septiembre de 2009

Y hablando de verdades... es que hay otra verdad, abuelo. Otra que no te he contado.

Fue una persona de una editorial a la escuela a dar una plática sobre los procesos editoriales. Resulta que, cuando ya se iba, la maestra de Español me dijo que le ayudara con sus cosas, porque había llevado un cañón y una pantalla y algunos libros para su plática. Entonces, cuando la acompañé a su coche, le pregunté varias cosas que me daban curiosidad pero que ya no quise preguntar en el salón porque luego todo el mundo se burla de mí. Le pregunté si era difícil publicar un libro. Me dijo que en realidad no, que lo difícil era escribir algo que "se dejara leer".

Entonces se me ocurrió preguntarle si en su editorial no publicaban poesía.

¿Quieres que te diga la verdad absoluta? Me imaginé publicando un libro de poesía y regalándoselo a Doris. No sé por qué siento que todo me revolotea en la panza cuando lo pienso. Ahora que te lo platico, igual.

Quedé de mandar a la editora algo en menos de tres meses. Un poemario. Esa es la verdad absoluta.

Búrlate: un poemario para que Doris me vea de otro modo. No como el escuincle que cuidaba cuando estaba chica. Estoy mal, ¿verdad, abuelo?

En fin.

Ahora sabes por qué me traumó no avanzar en mi libro de poemas y por qué robé el botón.

Saludos.

Álex, el peor poeta del mundo

"VEINTIOCHO años", hacía la cuenta Filip en su cabeza. "Veintiocho larguísimos años".

Un estrépito le hizo abandonar el libro. Corrió a la entrada de la casa. El viejo Hódder, completamente ebrio, soltaba imprecaciones en el suelo.

—¡Estúpidos! ¡Doscientas veinte coronas! ¿Cuándo he quedado yo a deber una mano de baraja?

Filip encendió la luz de la cocina, que dibujó un marco amarillento sobre la duela, iluminando a medias el cuerpo del viejo. Lo ayudó a ponerse en pie.

—¡Doscientas veinte coronas, Jon! ¡Doscientas veinte! ¡Iba enrachado!

—Tío Hódder, ¿se encuentra bien? —lo obligó a pasarle una mano por los hombros.

—Llevaba siete juegos ganados al hilo, Jon. ¿Cómo fue posible que...? ¿Qué te pasó aquí? ¿Qué tienes en la espalda?

—Soy yo, tío, Filip. Filip Dons, el hijo de Oskar. Vamos a su cama.

—¿Oskar? ¡El bastardo vive en Londres! ¿Y tú, Jon? ¿Por qué nunca escribes? ¿Tan lejos está Nueva York? —lo miró al tenue resplandor de la luz de la cocina.

Le palpó las mejillas, le dio un beso.

—No me hagas caso. Eres un buen muchacho, Jon.

Filip lo llevó como pudo a su cuarto en tinieblas, arrojándolo sobre el colchón. Le descalzó las botas. Le quitó el cinturón y le aflojó el pantalón.

—Abre el maldito brandy, Jon. Hay que celebrar que estás aquí.

—Trate de dormir, tío.

—Tonterías. Siempre supe que volverías. Abre el maldito brandy, hijo mío. Siempre supe que pensabas en mí allá en la Gran Manzana.

Filip se cruzó de brazos frente a la cama, custodiándolo. No sabía qué más hacer. Había oído historias de borrachos que se ahogan con su propio vómito.

—Oh, no te fijes, Jon... tú tienes una vida muy importante. No hagas caso de este viejo chocho. Eres un buen muchacho. No hagas ca...

Comenzó a roncar a mitad de la frase.

De: <direccion@moontower.com>>
Para: Álex <alex_mex96@gmail.com>
Asunto: De poetas malos
Fecha: 11 de septiembre de 2009

De poetas malos yo sé un poco. ¿Te cuento algo? Una vez yo intenté hacer poesía, pero fue hace tantos años que no me acuerdo de una sola línea. Lo único que se me quedó en la cabeza es que mi poesía era tan mala que nunca me atreví a enseñársela a nadie. Fue por culpa de una escritora, curiosamente. La misma que me regaló el botón de Andersen. Tenía yo catorce años, casi quince, igual que tú. Entonces no me pareció tan mala idea porque la razón era muy parecida a la que ahora a ti te mueve.
Ahora que lo pienso, tal vez sí hubiera sido buen amuleto el botón. ¿Lo perdiste de inmediato o pudiste escribir algo mientras todavía lo conservabas?
Se me acaba de ocurrir pasar a tu casa al rato que salga de la oficina. Ojalá te encuentre.

Saludos.

El abuelo

Cuando llegó a Rungstedlund, Tanne estaba tocando el piano. La señora Svendsen, la secretaria de la baronesa, lo hizo pasar de inmediato a la estancia.

—Así que es verdad —dijo precipitadamente. Llevaba consigo el libro que le había prestado Kristensen.

—¡Shhhh, *bwana*! Es Schubert —dijo por respuesta, y siguió tocando el *lied*. Sus viejas manos accionaban las teclas, no siempre con maestría, pero sí con gran sentimiento. Cuando terminó la pieza, giró en redondo.

—Schubert... ¡"Frühlingsglaube", Filip! ¿No te encanta?

—¿Entonces es cierto? —insistió Filip, ahora sentado en el anacrónico sofá.

Por primera vez le parecían reales los adornos, las lanzas, las máscaras, las pieles, los retratos de aborígenes.

—¿Te gusta Schubert, *bwana*? ¿O prefieres a Haydn? —dijo Tanne.

—Entonces es cierto que viviste en África. Que fuiste a América en enero. Que escribiste los *Siete cuentos góticos*. Que sí eres baronesa, que tu familia tenía un castillo. Que...

—¿Cómo te ha ido con la chica Frisch? ¿Has avanzado en tu poesía?

—¿Cómo es Marilyn Monroe? ¿Es tan guapa como se ve en las películas? ¿Tienes una foto de ella?

—¿Quieres un poco de café, *bwana*?

—Y lo que cuentas aquí, ¿de verdad cazaste leones? ¿Esos que están ahí, son kikuyus o masai? ¿Tú los pintaste, Tanne? ¿Es cierta la historia con Denys Finch-Hatton, eh? ¿Es cierta? ¿De verdad es cierta, Tanne?

De: Álex <alex_mex96@gmail.com>
Para: <direccion@moontower.com>
Asunto: El botón, de nuevo
Fecha: 12 de septiembre de 2009

Qué buena onda lo del viernes, abuelo. Hace mucho que no iba al teatro, ya ves que a mis papás no les late tanto. Gracias por invitar. Y gracias por no hacerle la segunda a mi mamá con eso de que me pusiera "algo decente" para acompañarte. Ya sé que con mis fachas como que no venía a cuento contigo, que siempre andas de traje, pero así me gusta andar y ni modo, al que no le guste...

¿Qué te pareció el disco que puse en el estéreo del coche? Es Satie. Según yo, es para oírse leyendo a Xavier Villaurrutia. Okey, no me hagas caso; mis ondas raras.

A lo que iba. El viernes quise contarte pero no me latió arruinarte los tacos.

La verdad: no perdí el botón de Andersen. Me lo quitaron.

Me lo quitaron unos castrosos del salón que siempre me molestan. Un día, en el primer receso, me cacharon escribiendo en el patio, y tenía el botón en la mano. Preferí perder el botón a que leyeran lo que estaba escribiendo, la verdad. Pero cuando el más alto y abusón, uno al que le dicen el Perro, vio que se me cayó algo de la mano, lo agarró, y a mí que se me ocurre decir que era algo muy valioso, que me lo devolviera. Eso bastó para que se lo echara a la bolsa del suéter y me retara a quitárselo.

Me porté como un cobarde de primera.

Ahí te va otra verdad: muchos en el salón creen que soy gay porque nunca he tenido novia, porque me gustan ondas bien raras, porque no me laten los deportes...

Y no, no soy gay.

Y no es que me parezca mal. Pero no lo soy y ya. Otro del salón sí es. Se llama Héctor. Una vez lo agarré llorando en el baño de los hombres y me lo contó. Es buen cuate mío, hasta eso.

La verdad todos mis cuates son raros, como yo. Pato, mi mejor amiga, la única a la que le cuento todo, es medio emo. Samuel, un amigo mío de tercero que está en el club de ajedrez igual que yo, tiene memoria fotográfica, pero nadie lo sabe. Le da pena admitirlo.

El caso es que varios me dicen *marica*. El Perro es de los principales.

"Quítame el botón, marica, a ver", fue lo que dijo. Lo odio.

El muy idiota ni siquiera sabe que ser gay y ser marica son cosas muy distintas.

Pero a lo mejor no está tan equivocado porque yo lo dejé irse con él. O sea que a lo mejor sí me comporté como un marica. Un cobarde.

Y ahora me da no sé qué no avanzar con mis poemas y saber que el Perro tiene el botón de Andersen. Ojalá no te avergüences de tu nieto.

Álex

Tomó las manos de Ellen y puso el botón entre ellas.

—¿Lo sientes?

—Sí.

—Perteneció a Andersen. A Hans Christian Andersen.

Ellen acarició el metálico artefacto. Con las yemas del índice y el pulgar siguió el contorno del águila.

—No tuve corazón para decirle que no estoy escribiendo poesía. Para eso se supone que es el botón. Para que me sirva de talismán, de amuleto.

Ellen se lo devolvió y Filip lo echó a la bolsa de su camisa. Se recargó en el sillón.

—Lo leí en una sola noche. Su libro *Memorias de África*. ¿Tú...?

Iba a preguntarle si lo había leído. Se reprimió, avergonzado.

—No te sientas mal —exclamó Ellen—. En realidad la lectura es de las cosas que menos extraño, por increíble que parezca.

Era el segundo día que estaba ahí, en compañía de Ellen, y aunque ya se preguntaba si no podría extenderse eso para siempre...

—¿O sea que no naciste ciega?

La verdad es que no la conocía. Sentía conocerla porque el amor juega esas trampas. Pero si era honesto consigo mismo, debía admitir que no sabía nada de ella. El color de sus ojos y el limpio tono de su voz parecían suficientes, pero no lo eran.

—Creo que lo que más extraño es el mar —respondió evasivamente.

—¿Por eso te sientas todas las tardes en la mecedora de allá afuera?

El viejo reloj de péndulo no le decía nada a Filip. Tampoco el cuadro con la consigna de que no puedes escapar a la mirada de Jesús. Ni el crucifijo del comedor o la desnudez de las paredes. La ausencia de libros, de flores, de aparatos eléctricos. Por un momento se sintió en uno de esos relatos en los que el protagonista mucho más tarde se entera de que la casa lleva abandonada por décadas, que la chica que vivía ahí murió trágicamente, que su fantasma...

—Se me están olvidando los colores.

Pero era un inicio. De pronto parecía que, más allá de sus ojos y su voz, estaba ella. Y tan al alcance de la mano que...

—¿Cómo perdiste la vista, Ellen?

—Tiene gracia, Filip —sonrió melancólicamente—. Para un ciego el viento puede ser visible, no sé si me comprendes. Eso es lo que me llena el alma cada puesta de sol; ese tipo de estúpidas fantasías.

Filip recordó las tantas veces que se detuvo en la Strandvej a contemplarla con el rostro hacia el mar, sin saber que ella no podía verlo. Deseó decirle que por supuesto que la comprendía, pero le pareció ridículo. Nadie que vea puede comprender a un ciego, se lamentó.

—No creo que sean estúpidas —dijo Filip con tristeza.

"Sé demasiado del mundo", había alardeado él involuntariamente la vez anterior. Súbitamente supo que no, que el bajo mundo, aun el londinense, no era para nada "el mundo". Hubiera deseado mostrarle, en su lugar, cómo crecen las flores entre los muros aledaños a Whitechapel, la buhardilla abandonada en Southwark donde se sentaba a fumar y dibujar junto a las palomas, el recorte de las copas de los árboles en Vicky Park, la tarde moribunda en los muelles de Surrey. Aun así, sería tan poco... tan ínfimo...

Un ruido en el piso superior lo sacó de sus cavilaciones. Como si alguien hubiera dejado caer un madero. Aguzó el oído pero ya no oyó nada.

Una palabra lo asaltó y no supo retenerla.

—México.

—¿Cómo dices? —dijo Ellen, apenas volviendo ella misma de su viaje interior.

—México —repitió.

—¿El país?

"Sé demasiado del mundo", trajo a su memoria y se rectificó sin pudor en su propia cabeza. "No sé ni conozco nada".

—El otro día me dijo Tanne que hace falta coraje para ser feliz. Con un globo terráqueo sobre la mesa de su estudio, me retó a decirle un lugar en el que, según yo, se encontrara la felicidad. Yo dije México.

—¿Por qué? —se interesó ella.

—Porque un idiota de la escuela en la que estudiaba llevó un día fotos de un viaje que hizo a México con sus padres. Acapulco, se llamaba el sitio. No tan distinto de este, aunque mucho más cálido, eso sí, más turístico, con palmeras y gente morena por todos lados. El caso es que me acordé de que, cuando miraba las fotos, me dije que yo algún día iría a México, y que ese día estaría en la cima del mundo.

Ellen clavó sus refulgentes ojos en Filip. Él sintió, por un mágico instante, que en realidad lo veía.

—Me dijo Tanne que nunca ha sido tan feliz como lo fue en África. Y que, si la felicidad no está donde uno vive, se vale buscarla por donde sea, que se vale decir un nombre al azar mientras se gira un globo terráqueo.

Los ojos de Ellen seguían sobre él. Filip se sintió indefenso. Comprendió que lo que había sentido la primera vez que vio a Ellen no tenía nada que ver con ese estallido de calor que le nacía en las entrañas y se lo comía por dentro.

De nuevo el ruido en el piso superior. Pero él no estaba ahí. No estaba, realmente, ahí.

—¿Quieres decir que no eres feliz, Filip?

El viejo reloj de péndulo los dejó suspendidos a mitad de camino entre esa pregunta y una sentencia que Filip no se atrevía a hacer por miedo a la reacción de Ellen.

Estaba pensando en Tanne y Denys Finch-Hatton. Ella, Karen Dinesen, se casó con el barón Von Blixen en 1913. Se marchó a Kenya con él un año después. Pero no había amor entre ellos y el matrimonio fracasó. El amor en realidad la visitó hasta que conoció al cazador inglés, al hombre de mundo, al aventurero, al aviador, Denys Finch-Hatton. El barón ya ni siquiera estaba en África ni en la memoria de Tanne cuando esto ocurrió. Denys lo fue todo para ella: un compañero inmejorable, un excelente escucha, un amigo. El amor. Pero murió en un accidente aéreo un día antes de que Karen abandonara África, obligada por las malas finanzas de la plantación de café. Ocurrió veintiocho años antes, en 1931. Filip se preguntó, desde que lo leyó en el libro, qué se sentiría pasar por algo tan doloroso. Si la felicidad, por breve que fuera, una vez experimentada, bastaría a lo largo de veintiocho años para ayudarlo a uno a sentirse mínimamente dichoso de vez en cuando. Se imaginó tres días sin Ellen. Tres meses. Tres años. No pudo concebirlo.

"¿Que si soy feliz?", pensó. "Ahora sí, Ellen. Aquí, contigo, porque Rungsted es mi África".

Pero no le agradó sentirse tan indefenso, con tantas ganas de llorar y tantas ganas de quedarse ahí para siempre. Con tantas ganas de afirmar algo que seguramente no tendría la respuesta que esperaba.

—Me estaba preguntando, Ellen... —dijo en cambio—, si el viento es visible para ti, ¿de qué color sería?

De: <direccion@moontower.com>
Para: Álex <alex_mex96@gmail.com>
Asunto: RE: El botón, de nuevo
Fecha: 14 de septiembre de 2009

Álex, dos cosas:
Una, no era más que un botón viejo. No vale la
pena ni perder el peinado por él. Dos, no me
avergüenzo en lo absoluto de ti. Ya hablaremos
luego tú y yo de la cobardía.
¿Qué pensaste de lo que te dije? ¿Quieres invitar
a Doris al museo o al cine? Ya te dije que tienes
chofer si quieres. Un chofer de sesenta y cuatro
años pero con muy buenos reflejos.
Ah, y gracias por ayudarme a abrir mi cuenta de
Facebook. Todavía no le entiendo mucho, pero
ya tengo catorce amigos y no ha pasado ni una
semana.

De: Álex <alex_mex96@gmail.com>
Para: <direccion@moontower.com>
Asunto: Re: El botón, de nuevo
Fecha: 15 de septiembre 2009

Sigo pensando que voy a quedar como un imbécil, abuelo, pero ni hablar, si de veras me ayudas...
Pato se puso a buscar en internet y me recomendó una de la Cineteca; una cosa de un polaco con el título más papa del mundo: *Blanco.* Yo te aviso qué dice Doris.
Vi que ya hasta subiste algunas fotos a tu álbum en el Face. Esa donde estás con mi abuela, "Nora y yo en Chapultepec", está de concurso. ¿Quién la tomó?
Ojalá yo tuviera una así con Doris.
Algún día.

Bye.

Álex

—Así que estás arreglando un auto para traerlo a Londres.

Filip se llevó el auricular a la oreja con un trapo para no ensuciarlo de grasa. La voz del sargento Walls fue una repentina vuelta al hogar; no le sentó tan mal como creyó en un primer momento, cuando el viejo Hódder le dijo que tenía llamada de larga distancia.

—Algo así.

—¿Cómo te va, entonces?

—No me quejo, tío Bob.

—Tu padre ya está buscando escuelas. Dice que el St. Martin es mala influencia para ti.

Había imaginado justo eso. Que el sargento y su padre ya estarían contando los días para su regreso, mientras que él, por el contrario, deseaba extender el plazo para siempre. Nunca terminar de arreglar el Mercedes, nunca dejar de conversar con la baronesa Blixen, nunca perder las tardes en la casa de la Strandvej. Nunca abandonar Rungsted.

—Ah...

—Yo no lo creo tanto. Además, te permitían llevar el cabello largo. Pero es posible que Oskar tenga razón, has peleado demasiado con tus compañeros. Yo también estoy revisando nombres de algunos institutos.

Lo decían Kristensen, el viejo Hódder, Pedersen... todos: que la felicidad estaba en Dinamarca, el único país del mundo en el que la gente se precia de pagar impuestos, por altos que estos sean. ¿Por qué no quedarse para siempre ahí?

—Supongo que no hay prisa, tío Bob.

—No digas tonterías. Has demostrado tu temple, muchacho. Ambos estamos orgullosos de ti. Ahora me río de aquel día en que te amenacé con meterte a un centro correccional.

—Pero tío...

—En fin, te dejo, o esta llamada me va a traer serios problemas con mis superiores. Cuídate, muchacho.

Cuando colgó se sintió tan desolado que volvió al trabajo sin ningún ánimo. Comió en total silencio con el tío Hódder y en la tarde se fue a tirar a la playa antes de ir a la casa de Ellen. Estaba seguro de que las olas en ningún lugar del mundo rompían como ahí en Rungsted, ni las gaviotas planeaban de ese modo, ni la hierba...

Se imaginó tres días, tres meses, tres años...

Le pareció insoportable.

Cuando llamó a la puerta blanca de la casa azul, ya tenía la resolución. Algo tenía que pasar entre él y Ellen antes de que llegara el 19 de octubre para poder decidir su futuro. Volver a Londres o quedarse en Rungsted dependería de ese avance, esa posibilidad de que ocurriera algo entre ellos. Lo que fuera.

No obstante, al abrir Ellen la puerta, en vez de sentirse entusiasta por la determinación recientemente tomada, lo invadió un conocido pesar. Sabía que era imposible que ocurriera algo entre ellos. Sintió súbitamente la obligación de reconocer que, si Ellen pudiera ver, él no solo no tendría ninguna oportunidad con ella sino que ni siquiera le habría abierto las puertas de su casa, para empezar.

—Hola, Filip.

—Hola, Ellen.

Le dio la mano, como siempre. Se introdujo a la casa,

como siempre, y pensó que, para alguien como él, tal vez esa fuera la felicidad. Contemplar así a una chica tan hermosa, tocarla así, tenerla así.

Suspiró.

—Traje una sorpresa.

—¿En serio?

—Sí, dame unos minutos.

Colocó el pesado portafolios cerca de un tomacorriente, lo abrió y enchufó la tornamesa. Extrajo uno de los discos de 45 rpm que llevaba consigo, uno de los Everly Brothers. Encendió el aparato y depositó el acetato sobre la goma giratoria. Puso la aguja sobre la negra superficie. Comenzó a sonar "All I have to do is dream".

Algo cambió en el rostro de Ellen. Algo tan significativo que, cuando terminó la canción, gruesas lágrimas escurrían por sus mejillas.

—Disculpa. La idea no era hacerte llorar.

—Lo sé, es que...

Iba a sacar otro disco del maletín cuando se le escapó un grito. No esperaba encontrarse con un par de ojos en la escalera que conducía al piso superior.

—¡Maldita sea! —se llevó una mano al pecho—. ¡Me espantaste!

—¿Puedes hacerlo otra vez? —dijo el pequeño, un niño de ocho años a lo mucho, con pantalón corto, toscos zapatos y camisa de cuello. El cabello era tan negro como blanca su piel.

—¡Josef! ¿Qué estás haciendo acá abajo? —dijo Ellen, exaltada.

—¡Que lo haga otra vez, Ellen, por favor!

—Vuelve allá arriba.

—¿No es pecado esa música, Ellen?

—¡Vuelve allá arriba con Hedda!

El pequeño echó a correr por las escaleras. Se escuchó un azotón de puerta. Un gran silencio.

—No sabía que tenías hermanos —exclamó Filip, desconcertado.

Ellen se mostró tanto o más alterada que cuando terminó la canción.

—¿Pasa algo?

—Aguarda un momento.

Fue hacia la escalera y subió. Filip escuchó a la distancia una grave conversación entre Ellen y Josef. Luego, una tercera voz. No alcanzaba a distinguir de qué hablaban pero no le gustó nada lo que parecía haberse desatado ahí. Se sentó en la sala, con las manos sobre el respaldo, inquieto, preocupado.

A los cuarenta minutos de silencio, se dispuso a marcharse. Guardó los discos y el portafolios. Se preguntó si debía anunciar su retirada, si podría volver al día siguiente.

Avanzó pedaleando por la Strandvej con una sensación de pérdida como jamás había sentido antes en la vida. Ni siquiera cuando la señora Rose, la vecina del 4B, le hizo creer, a sus cinco años, que su madre había muerto por su culpa.

Ni siquiera aquella vez.

Pero al día siguiente volvió. Si esa dicha iba a ser terminada de tajo, tendría que oírlo de los labios de Ellen. Llamó con timidez. Desde luego, ahora no llevaba nada consigo. No estaba seguro de no haber quebrantado la paz de la casa de Ellen de alguna extraña manera.

Le tranquilizó oír los pasos de ella acercándose. Al menos no se cumpliría la pesadilla aquella en la que tocaba y tocaba hasta que se veía obligado a irse sin una respuesta.

La puerta se abrió.

—Hola, Filip.

—Hola, Ellen.

—¿Puedo pasar?

Ella se hizo a un lado. Estaba vestida de blanco. Para entonces Filip ya podía contar los vestidos de Ellen: cuatro en total. El calzado: dos pares de zapatos cerrados, unas sandalias. Las diademas: dos azules y una gris. Quiso leer en su cara alguna explicación sobre el incidente del día anterior y no pudo.

—Perdón por lo de ayer. No sé si hice bien al...

—No es tu culpa. Es sólo que... no nos está permitida la música. Y bueno, Josef... tienes que comprenderlo. Es tan pequeño e impulsivo.

Se sentó al sofá. Llevaba el libro de la baronesa, sus memorias de África. Había pensado que leerle a Ellen le haría mucho bien, que tal vez ese mundo sí podría mostrárselo. Puso el ejemplar sobre la mesita de centro. Ellen aún no se sentaba.

—¿No les está permitida la música? No entiendo.

—Mi padre es... un tanto estricto, ¿sabes?

Era tan increíble que parecía ridículo, parte de una broma. Pero luego puso más atención; dejó de fijarse en Ellen, dejó de disculpar su entorno. La casa lo gritaba, verdaderamente. Todo a su alrededor —monocromático, pulcro, triste— lo gritaba.

—Estás hablando en serio.

Ellen jugaba con sus nudillos nerviosamente. Se mordió el labio inferior.

—Tal vez esto ya no sea buena idea, Filip. Tal vez sea mejor que te vayas.

—¿Qué otras cosas no les tiene permitidas tu padre, Ellen?

Ella suspiró. Fue a la cocina y tomó pausadamente de un vaso grande de agua. Luego volvió a la estancia y se sentó con las manos entrelazadas. A Filip le pareció, por primera vez, que la enorme corrección con la que actuaba era estudiada, artificial. Por primera vez notó el contraste. Él, sus modales, su cabello desaliñado, su tatuaje al cuello, eran casi una confrontación en esa casa, un palpable insulto.

—Papá nos evita todo lo que pueda ensuciar el alma.

—¿Ensuciar el alma? ¿Qué significa eso?

—Si lo piensas, no está tan equivocado. Todo lo malo viene del exterior.

Parecía una comedia mala de la televisión. Como si Ellen estuviera representando a alguna otra persona, repitiendo parlamentos impostados. El rostro se le había endurecido.

—Todo lo malo viene del exterior —repitió Filip, tratando de hacer evidente que eso lo implicaba también a él. Ahora se explicaba muchas cosas.

—Yo misma le haré saber a la baronesa que no puedo seguir ayudándole con el favor que me pidió. Lo siento.

Filip se levantó. Tenía que admitir que lo había previsto. Que en el fondo siempre supo que tanta belleza era imposible. Que todo terminaría de ese modo. Y mejor antes que después. Mejor ahora y no cuando ya hubiera arrojado su vida entera al cesto de la basura. Se preguntó si valdría la pena despedirse, esforzar una frase. Con tristeza imaginó que, si esa fuera en realidad una mala comedia de la televisión, tendría que decir algo inteligente, mordaz, agudo.

No se le ocurrió nada.

Ya estaba por alcanzar la puerta cuando oyó pasos detrás de él.

Por mucho tiempo se preguntaría si no sería ese, en realidad, el plan trazado. La verdadera intención de Tanne al llevarlo a esa casa.

De: Álex <alex_mex96@gmail.com>
Para: <direccion@moontower.com>
Asunto: Doris
Fecha: 19 de septiembre de 2009
Adjunto: poemasvarios.doc

Estoy cada día más enamorado de Doris y estoy cada día más lejos de poder decirle nada.

Ese día del cine, ya ves que ni tuviste que llevarnos tú, ella misma le pidió el coche a su papá, puso un disco de la música que le gusta: trova cubana. No es el nombre de un grupo, sino de varios músicos. Puso a Pablo Milanés y a Silvio Rodríguez.

No es Mozart, abuelo, pero no me pareció nada mal. Será que cuando quieres a una persona, todo lo que ella hace te parece lo mejor...

Luego, su plática. Nunca me trató como a un escuincle. Me hablaba de todo tipo de cosas. De su escuela, de su casa. Del tiempo que vivió en Estados Unidos...

¿Tú te sentiste así alguna vez? ¿Te pasó esto con mi abuela? Porque, la verdad, es una idiotez. No sé qué hago ahí metido. Por supuesto que me diría que no si le llegara. ¿Cómo nos veríamos por la calle juntos? Por supuesto que me diría que no, pero... ¿cómo se detiene esto que siento? ¿Cómo se apagan los sentimientos?

Qué horror. Qué estupidez.

Por cierto que me escribió la editora :-O

Claro que yo le di mi correo ese día, pero jamás me imaginé... ¡¡¡!!!

Me preguntó por el libro. ¿Tendrá ese tipo de cortesías con todos los chavos de secundaria que le dicen que si le pueden mandar un libro? ¿O solo con los nerds?

De todos modos, creo que es mi única oportunidad con Doris. Llegar un día a su casa y enseñarle un libro publicado por mí.

Me odio, abuelo.

Te mando un nuevo avance de mis poemas, a ver cómo los ves.

Le dije a la editora que el 19 de octubre, cuando se cumplan los tres meses, le mando el libro. A ver si no quedo como un imbécil y un hablador.

Por cierto... empecé a leer el libro ese que me diste. No, nunca había leído a Isak Dinesen. ¿Es danés? El primer cuento me gustó bastante. Se me hizo un poco pesado, pero ya que le agarras la onda... ¿A ti te gusta mucho ese autor?

Saludos.

Álex

—JOSEF, ¿verdad?

Ellen se puso de pie, alarmada nuevamente.

—¡Josef! ¡No debes bajar, lo sabes!

—¿Trajiste la música? —preguntó el niño.

Tenía un rostro simpático, de grandes ojos castaños y vivaces. No estaba seguro de que el día anterior Josef tuviera ese feo moretón en el párpado del ojo izquierdo, pero no quiso hacer ningún comentario.

—¿Trajiste la música?

—No, Josef, no la traje.

Se miraron por unos instantes. Y Filip notó que Josef reparaba en su deformidad, que le causaba cierto asombro. Incluso inclinó la cabeza para estudiar mejor su columna. Ellen, mientras tanto, solo aguardaba, expectante. Sin embargo, Josef volvió a sonreírle a Filip sin mencionar nada.

—¿Y tu otra hermana?

—¿Hedda? Allá arriba.

—¿No los dejan bajar?

—Solo para comer. Y los domingos para ir a misa.

—¿Y la escuela? ¿No van a la escuela?

—Papá nos enseña lo que hay que saber. ¿Cómo se llama esa música?

—¿La que traje? Rock & roll. ¿Te gustó?

—Sí. ¿Por qué no la trajiste?

Para Filip fue como si una voz interior le reclamara: "Claro, ¿por qué no la traje?"

—Te diré algo. Vuelve allá arriba e iré por la música. ¿De acuerdo?

—De acuerdo. ¡Hedda!

Josef corrió de regreso al piso superior dando grandes zancadas. Se alcanzaron a oír cuchicheos y risitas. Filip contempló a Ellen sin reservas, con la mirada torva y desafiante, lamentando que ella no pudiera darse cuenta de lo que trataba de transmitirle sin usar palabras.

—No es posible que estés de acuerdo con lo que hace tu padre. ¿Cuántos años tiene Hedda?

—Seis.

—¿Y no le permite salir? ¿No le permite bajar? ¿No va al colegio? ¡Estás bromeando!

—¡Mamá vive en pecado con un hombre desde hace cinco años, Filip! —exclamó Ellen resentida, exaltada, al borde de la ira— ¡Papá lo único que quiere es que...! ¡El Levítico dice que...!

—¡Estás bromeando! —gritó Filip antes de salir azotando la puerta.

Abordó la bicicleta y pedaleó rabiosamente a su casa en Hestehaven.

Sabía que se lo estaba jugando todo, pero bien valía la pena correr el riesgo. Si a su regreso Ellen no quería abrirle, no habría nada más que hacer. No podría echar abajo la puerta. Fin del cuento. Pero si abría, entonces, tal vez...

Prefirió no dar continuidad a tales pensamientos. Cuando llegó, tío Hódder aún dormía. Tomó de su habitación el estuche de la tornamesa y su mochila, llena de discos. Volvió a subir a la bicicleta e hizo el camino de vuelta como si le fuera la vida en ello. Tal vez así fuera.

Ni siquiera tuvo que llamar a la puerta. Se abrió en cuanto subió los escalones que llevaban del camino al porche.

Ellen, con la mano en el picaporte, era otra. Transformada por el llanto, había perdido su intachable belleza. En su lugar había ahora rasgos de imperfección, la más humana de las cualidades. Tenía las narices hinchadas, los ojos congestionados, el rostro enrojecido. Pero a Filip no le pareció menos hermosa por ello sino que, por el contrario, acarició la idea de que, algún día, tal vez, podrían reír a carcajadas por el mismo chiste, llorar juntos por el mismo film melodramático.

—Solo te pido que no los hagas bajar. Y suplícale a Josef que en la noche, cuando mi padre los haga confesarse, no le diga que estuvieron oyendo música.

—¿Cuando tu padre los...?

—Solo dile.

Filip subió entonces al piso superior. Cuatro puertas cerradas daban a la oscura zona central, sin más adornos que una cruz de madera.

—¿Josef?

El niño abrió la puerta de su cuarto. Hedda ya se encontraba con él, una niña con los mismos rasgos de la familia, la misma conjunción hermosa de palidez y sombra.

Filip supo, cuando presenció lo que se dibujó en sus rostros infantiles al poner la aguja sobre el acetato de "Jailhouse rock", que era una pena que Elvis Presley jamás fuera a enterarse de que sus mejores fans en todo el mundo vivían en Rungsted, Dinamarca, y ninguno tenía los diez años cumplidos.

De: <direccion@moontower.com>>
Para: Álex <alex_mex96@gmail.com>
Asunto: RE: Doris
Fecha: 19 de septiembre de 2009
Adjunto: a donde no conozco nada.doc

Tu abuelo no tiene ni idea de qué aconsejarte, Álex.
Por el problema de mi espalda nunca tuve gran
éxito con las mujeres. Pero sí pensé que tal vez
te gustaría echarle un ojo a esto que escribí hace
algunos años, a lo mejor te ayuda un poco.
Lo escribí porque alguna vez imaginé que podría
dedicarme a las letras.
Aquella escritora de la que alguna vez te hablé
pensó que...
En fin, el caso es que ese año estaba teniendo
un mal momento aquí en la oficina y me entraron
dudas. Además tenía conmigo el botón y... bueno,
ya te enterarás. Ojalá lo puedas leer pronto.
Me da mucho gusto que estés disfrutando los *Siete
cuentos góticos.* Y sigue en pie lo de que invites
a Doris al concierto de Fernando Delgadillo como
sorpresa. Yo los llevo y los traigo.

Tu abuelo

EL rugido del motor fue en verdad glorioso. Filip recién había conectado manualmente los cables de encendido, no sin antes cruzar los dedos furtivamente. Ole aplaudía, maravillado.

—Te lo dije. Ahora solo falta la transmisión. Arreglada la transmisión, Ole, podremos ir hasta Italia en esta preciosidad si queremos.

—¡Estupendo, capitán! ¡Estupendo!

Con sus overoles parecían padre e hijo, aunque los papeles resultaran invertidos. Era Filip quien contemplaba con el semblante adusto el funcionamiento de su creación, era Ole el que daba saltos en su sitio sin dejar de aplaudir.

—Vaya, vaya... Así que, después de todo, las manos les sirven para algo más que limpiarse el trasero.

El viejo Hódder acudió a esa sección del taller en cuanto oyó que el motor estaba en marcha. Dio fuego a su pipa y contempló la traqueteante máquina hasta que, después de un tronido, se detuvo.

—Claro que, o le cambias las bujías a esa chatarra, o no llegarás más allá de esa pared, Dons, te lo aseguro.

—¿Las bujías?

—A menos que prefieras cambiarle los rizadores para el cabello.

Hódder les permitía ocuparse en el Mercedes cuando el

trabajo en el taller estaba flojo, y esos últimos días habían podido avanzar tanto que a Filip ya le parecía posible conducir hasta Moscú, Roma o Sevilla en próximas fechas si se le antojaba. A decir verdad, sentía deseos de saltar de júbilo como Ole, pero nunca en la vida se le habían dado tales manifestaciones de alegría. Será que hay sujetos que nacieron sin infancia, y será que otros nunca salieron de ella.

—Vamos a festejar, Ole. Es un día especial.

—¡Claro, capitán!

—Y supongo que crees que, porque eres capaz de encender una carcacha maloliente como esa, ahora te mandas solo —gruñó Hódder, quien ya se había ido a sentar a la mesa larga a escrutar las páginas de un diario.

Ole refrenó su entusiasmo, dejó de aplaudir. Filip solo torció la boca. Se miraron por unos instantes.

—¡Oh, largo de aquí! —refunfuñó Hódder sin dejar de mirar su periódico—. De todos modos, si llega trabajo, terminaré más pronto sin estorbos a mi lado.

Abandonaron la oscuridad del taller corriendo. Su idea de un festejo eran unas bebidas en el Ballentin. Tal vez un poco de playa. El día era soleado, como prácticamente todos los de ese naciente otoño. Tal vez cambiar el orden: playa primero, refrescos después.

En cuanto llegaron a la costera, Filip ya había enfilado hacia el lugar en el que acostumbraba recostarse a contemplar la línea del horizonte, oculto de las miradas. Ole lo seguía como un perro faldero. Acarició la idea de, por una vez, darse un chapuzón con Ole. No se veía gente por ningún lado, la playa era completamente de ellos. Aún no daban las doce de la tarde; tal vez no fuera mala idea, aunque ninguno llevara traje de baño.

No, no se le daban tales manifestaciones de júbilo pero, por una vez...

—El último es un huevo podrido —dijo, arrojando al suelo el cigarrillo que había encendido y corriendo hacia el sitio tapizado de hierba, en la frontera de la playa y la carretera donde solía echarse. Ya ahí, seguido de cerca por el torpe y obeso Ole, se despojó de toda la ropa, excepto la trusa. Corrió a la playa y se aventó contra la primera ola.

Ole, desde luego, lo imitó. Por unos momentos todo fue el sabor del agua salada, el picante sol sobre la cara húmeda, la densa quietud de las alternadas inmersiones, la benevolente rudeza del mar, las bocinas lejanas de los barcos, el chillido de las gaviotas. Por unos muy, muy breves momentos.

—¡Pero si son Ole y su espantosa novia!

También en Londres lo molestaban con eso. El cabello largo era toda una afrenta en ciertos sitios, aun amarrado en coleta. Cuatro muchachos en motonetas se habían aproximado a la playa.

—¿Van a nadar a Kyrkbacken de la mano, gordo? ¿"Es bueno el clima"? —dijo Gustav, el de la barba cerrada, imitando la voz de Ole.

Filip prefirió no hablar. Solo lamentaba que el agua, en ese momento, le llegara sólo hasta la cintura. Sumergirse habría sido casi como huir.

—De verdad que está feo eso que te salió ahí —señaló Gustav a su espalda.

—Mejor ya vámonos, no vaya a ser contagioso —exclamó otro de los muchachos.

—¿Imaginan cómo serán los hijos que tendrán estos dos? —rió sonoramente Gustav, sin duda esperando una reacción de Filip.

Al poco tiempo de incómodo silencio, abandonaron la playa tan rápido como llegaron. Sus escandalosas risas apenas eran cubiertas por el sonido de las motonetas.

Cuando volvieron a estar solos, Filip no pudo evitar pensar en el suceso. Las olas se empeñaban en hacerle perder el equilibrio. Le hormigueaban los nudillos. Cierta sed de violencia, bastante familiar, seguía presente en su boca. Hubiera podido correr hacia el infeliz, bajarlo de la motocicleta, trabajarle la cara a puñetazos hasta que se hartara. Pero no lo hizo. Simplemente, no lo hizo.

Ole, como si no se hubiera enterado de nada, seguía saltando en el filo de las olas con la prudencia que lo caracterizaba, procurando no tropezarse, mascullando cosas. Filip, con los ojos puestos en su propia sombra sobre la arena, solo se preguntaba por qué, si había actuado correctamente, si había actuado como todo el mundo esperaba de él, se sentía tan terriblemente mal. Tan asquerosa y terriblemente mal.

De: Álex <alex_mex96@gmail.com>
Para: <direccion@moontower.com>
Asunto: Adonde no conozco nada
Fecha: 22 de septiembre de 2009

Abuelo, ya empecé a leer tu texto.
El primer capítulo me sacó mucho de onda.
¿Eras así de peleonero? ¿O estás inventando?
De repente no sé cuándo una novela es mentira o
cuándo es verdad.
Puse algo de Richard Strauss mientras lo leía, le va
bien, y luego una sinfonía de Górecki que bajé de
internet.
Gracias por el tip del concierto de Fernando
Delgadillo. Le dije por correo que yo la invitaba y
me dijo que al revés, que ella me invitaba a mí. No
sé si estoy soñando mucho, abuelo, pero se siente
muy bien cuando alguien que te gusta te dice "Yo te
invito". Muy bien. Mi amiga Pato opina que no me
entusiasme mucho pero yo... bueno, uno no sabe
cómo parar estas cosas, ¿no, abuelo?

Abrazos.

Álex

P. D.: Busqué Rungsted en Google Maps y di con
la casa de Karen Blixen. Dime la verdad, abuelo,
Adonde no conozco nada ¿es ficción o no?

—¡POR Goethe, Hölderlin y Pasop! Miren quién está aquí.

—Hola, Tanne.

Entró al Cuarto de Ewald sin anunciarse. De hecho, había entrado a Rungstedlund por su cuenta, sin llamar a la puerta principal. Tanne se lo había ofrecido alguna vez, y él ahora decidió hacer uso de tal privilegio.

—¿Por qué le llamas "Cuarto de Ewald"?

—Johannes Ewald, el autor del siglo dieciocho, vivió aquí en Rungstedlund. Trabajaba en esta misma habitación, *bwana*. Pero tú no viniste a eso.

Filip se arrojó sobre la butaca que ocupaba cuando iba a visitarla.

—Ah... ¿Así que ya empezó?

—¿Empezó qué? —respondió malhumorado.

—A anunciarse el clímax.

—No te entiendo.

—En tus ojos está ella, Ellen, pero también la revelación. Sin una revelación no hay drama. Te lo advertí, *bwana*.

Filip extrajo un cigarrillo y lo encendió. Exaló el humo con vehemencia.

—¿Lo sabías, Tanne? ¿Que el padre los golpea?

—¿De qué hablas?

—El padre los golpea, Tanne.

—Al menos a Ellen no le toca un pelo.

—¡¿Lo sabías?!

Tanne escudriñó sus ojos nuevamente. Se dibujó una sonrisa. En el gramófono sonaban las suites para chelo de Bach.

—A veces, te lo juro, este don mío es como una maldición. Pero otras veces uno se siente verdaderamente dichoso. Es como presenciar una aurora boreal en primera fila.

—No sé de qué me hablas ¿Tú lo sabías?

—No toda la historia. Sé que Frisch es un fanático y un resentido. Pero no más.

—El maldito les pega a los niños cuando, según él, han cometido pecado. Y no sabes en qué forma.

—¿Vienes de ahí?

—Les dije a Josef y a Hedda que no contaran que estuve con ellos, que oímos discos juntos. Ellen me suplicó que les pidiera a los niños mentirle a su padre, y así lo hice. Pero no creí que.... no creí...

Tanne se levantó, silenció a Bach. Necesitaba la atención de Filip, toda ella.

—¡Escúchame bien! El día que escribas tu poesía, Filip, no lo hagas para nadie más que para ti.

—¿Qué dices?

Se puso a la altura de sus ojos, ella de pie, él en la silla. Apretó sus manos con las suyas.

—Solo así sirve la pasión. Solo así es de alguna utilidad.

—¿Te pregunto sobre los Frisch y me das consejos para escribir poesía? ¡Estás loca!

—No escribas para los críticos ni para las revistas. Escribe para ti. Porque les debes a los dioses una respuesta.

Malhumorado, se levantó él también. Aún faltaba mucho para que cayera la noche. Se había presentado en casa de Ellen con todos sus discos, feliz de poder llevarles esa alegría a los niños. Las palabras de Ellen en el dintel lo habían hecho correr sin rumbo, pedalear hasta que lo derribaran las fuerzas, ir y venir hasta encontrar refugio en Rungstedlund. "Vete, Filip. Esto ya no es buena idea". "Vine a ver a tus hermanos, Ellen, no a ti. Se lo prometí ayer". "Vete, Filip, o esto va a ponerse feo en verdad. Vete..."

Y la cara de Hedda detrás de Ellen. La nariz vendada. La boca hinchada, los coágulos secos. La sonrisa, pese a todo, en la pequeña. La sonrisa.

¿Trajiste la música, Filip? ¿La trajiste?

Para él fue sumar dos y dos. "¿Tu padre le hizo eso?" El rostro compungido de Ellen. "Vete, Filip. Vete". "Contéstame, Ellen. ¿Tu padre le hizo eso a Hedda?"

Corrió, pedaleó, llegó a Rungstedlund. Aún faltaba mucho para que anocheciera cuando se zafó de las manos de Tanne.

—Tengo que volver.

—Deberías verte, muchacho. ¡Deberías verte!

—Sí que estás loca, Tanne.

—*Je responderay.*

Filip dejó su tornamesa y sus discos en la estancia de Rungstedlund para poder ir más de prisa. Tomó un atajo hacia la casa de Ellen a través del bosque. Cuando llegó, ella se encontraba en la mecedora de la veranda, el rostro hacia el océano. Filip desmontó y subió a saltos los escalones.

—¿Por qué me recibiste al principio si sabías que podía ocurrir algo así?

Ellen se abrazaba a sí misma. Parecía estarlo esperando; no hubo ninguna sorpresa en su rostro.

—¡¿Por qué?! —gritó Filip, animándose a tomarla de los hombros, arrodillado frente a ella, como si quisiera obligarla a verlo.

—No tenían permiso de bajar nunca, Filip. ¡Fue tu culpa! ¡Tenías que traer tu tonta música!

—¡Pero estoy seguro de que tú tampoco tienes permitido recibir visitas, así que no intentes engañarme!

—¡Claro que no tengo permitido recibir visitas! ¡Ni un millón de cosas más!

—¡Entonces respóndeme!

—¡Déjame en paz!

—¿Por qué, con un demonio...?

—¡Porque quise sentirme normal por una vez en mi vida! —sollozó—. ¡Que alguien viniera a verme sin tener miedo a que mi padre lo supiera y que en la noche me dijera cosas peores que las que dice de mi madre! ¡Que alguien viniera a verme sin miedo a ser descubierto y a que mi padre lo matara a patadas!

"Sentirme normal", dijo Ellen, la chica más hermosa del mundo, cubriéndose la cara, llorando como una chiquilla. Filip supo que se derrumbaba para siempre el último bastión de su indómito espíritu; que en verdad no toleraría, de ahí en adelante, la vida sin Ellen, y que lo que había sentido al principio, la primera vez que la vio por casualidad, ahí sentada, aguardando el gentil tacto del crepúsculo, era real y permanente. "Sentirse normal", pensó. "Sentirse normal", repitió. "Sentirse normal", de nueva cuenta. "Si supieras, Ellen, cuántas veces he querido yo, por una vez, sentirme normal". Deseó abrazarla pero temió que ella descubriera su deformidad. Le puso una mano sobre el hombro. Ella la tomó, la acarició fugazmente, la soltó.

De: <direccion@moontower.com>
Para: Álex <alex_mex96@gmail.com>
Asunto: RE: Adonde no conozco nada
Fecha: 25 de septiembre de 2009

Álex, termina de leerla y platicamos. Ahorita
estoy en La Paz viendo lo de un contrato, pero
regresando nos hablamos. ¿Te gustó la foto del mar
que te mandé a tu cel? Qué puesta de sol, ¿eh?
Por cierto, fui a un recital de piano: Chopin. Me
acordé mucho de ti. No permitas que nadie te diga
nerd.

Abrazo.

—Te dije que te apartaras de esa casa como de la peste, Dons —le espetó tío Hódder en la mañana, después de atender una llamada que había durado varios minutos.

Filip estaba buscando una ponchadura en una cámara de llanta. Se avispó en seguida.

—¿Quién era?

—¡Como si no lo supieras! ¡El maldito demente de Frisch! ¡Dice que si te vuelves a acercar a sus hijos te va a matar!

Filip se quedó sin palabras. ¿Cómo se había enterado? Un escalofrío le recorrió la espalda. Se imaginó a Frisch torturando a sus hijos para obligarlos a hablar.

—¿Me oíste? ¡A partir de hoy no sales por las tardes! Sabía que tarde o temprano esto pasaría. ¡Bien me lo dijo tu padre: eres un caso perdido!

Filip se sentía aturdido por la noticia. Por alguna razón le parecía que Ellen no temía la ira física de su padre, si acaso la verbal. No obstante, le horrorizó imaginar que también a ella...

En todo caso, la imagen del sujeto sobre Josef y Hedda tampoco era como para dormir tranquilo.

—Ahora vengo —dijo, arrojando la cámara al recipiente de agua.

—Estás loco. ¿Adónde vas?

—No tardo, tío, lo prometo.

—¡Si te acabo de ordenar que...!

Filip no quiso escuchar. Era la una de la tarde. Tenía, al menos, que cerciorarse de que estuvieran bien. Ya después... Ya después...

No, no tenía cabeza para decidir su futura suerte. Pero al menos quería asegurarse de lo principal y más importante. Fue a casa de Ellen con el corazón palpitándole en las sienes. No podía tolerar la idea. ¿Quién, por amor de Dios, le pone una mano encima a un ciego?

Llamó a la puerta y le tranquilizó oír su voz calmada.

—¿Quién?

—Yo, Ellen. Filip.

Ella abrió la puerta. Su faz estaba intacta. Su cuerpo, también. Él sintió un gran alivio.

—Ya no puedes venir, Filip. Lo siento mucho.

—¿Cómo lo supo? ¿Los niños?

—No. Ellos no fueron. Alguien debe de haberte visto entrar o salir.

—¿Están bien tus hermanos?

La pausa fue escalofriante. Se sorprendió aventando la puerta, apartando a Ellen, haciendo el camino al piso superior a toda prisa, girando el picaporte del cuarto de Hedda y Ellen.

—¡Filip! ¿Trajiste la música?

De: Álex <alex_mex96@gmail.com>
Para: <direccion@moontower.com>
Asunto: RE: Adonde no conozco nada
Fecha: 28 de septiembre de 2009

Abuelo... con respecto al mensajito que me mandaste por celular el otro día preguntándome cómo me había ido con Doris en el concierto de Fernando Delgadillo: mal, muy mal. Ella y su novio pasaron por mí a la casa y me llevaron con ellos al concierto como si fuera el hermano chiquito.
Fue espantoso. Cuatro horas con ellos teniendo que poner buena cara. Preferí decir que me sentía un poco mal del estómago para no tener que reírme de los chistes del tipo ese.
Me odio, abuelo. Me odio. Meodiomeodiomeodio...

Lo que siguió fue el infierno. Si no podía salir por las tardes, tampoco trabajaría. Así que se encerró en la casa a no hacer prácticamente nada. Sus dibujos de escenas espaciales le parecieron espantosamente insulsos, como hechos por otra persona. Ni siquiera quería prender la televisión. Su tornamesa seguía en Rungstedlund.

—¡Para lo que me importa, Dons! —lo riñó Hódder cuando Filip le anunció que no ayudaría más en el taller—. Ya casi se terminan tus tres meses. ¡Y como que me llamo Hódder Jensen que te vas a ir a tu casa tal y como me fuiste entregado! Sin un rasguño. Es todo lo que me interesa ya a estas alturas.

Pero Filip, la mayor parte del tiempo, ni siquiera escuchaba. Estuvo un par de días así, solo pensando en el término del plazo, en lo que le tocaba hacer como individuo. Hedda y Josef estaban bien cuando los fue a ver. No había nuevas marcas visibles de algún tipo de agresión. Por eso se retiró sin decir nada, con el corazón encogido, esforzándose por no mirar hacia atrás cuando pasó al lado de Ellen, cuando oyó el seguro de la puerta correrse.

Faltaba poco más de una semana para que todo concluyera. Había sido un sueño, un sueño feliz, eso era todo. Que ahora tuviera sabor de pesadilla era otra cosa. Ya no le incumbía. Era lo que se esperaba de él, no meterse donde no lo llamaban. Así lo haría. Así lo había hecho por dos meses, podía cumplir una semana más, esperar el dinero para volver a Londres, olvidarse de todo. Ingresar a St. Martin, ser aplicado, hacer sus deberes, engrosar las filas.

—Ahí está el infeliz de Ole de nuevo.

—Dile que eso se acabó, tío.

—Díselo tú.

—No me interesa arreglar ninguna maldita transmisión de ninguna estúpida máquina.

—Como si me importara, Dons.

Un día más. Y otro.

Y otro.

Anhelaba alguna noticia de la casa de la Strandvej. Una llamada repentina. Una carta arrojada por debajo de la puerta. Lo que fuera. Un mensaje. Algo.

Nada.

Sentía como si el diablo le estuviera cobrando la deuda. Una noche se despertó a mitad de un mal sueño en el que una carcajada demoniaca adquiría forma de monstruo. Un gigantesco hombre sin rostro lo tomaba del cuello con una mano, alzaba un crucifijo, lo estrangulaba.

No sabía que la pasión pudiera ser tan dolorosa.

—La baronesa te llama.

—No estoy.

—¿Cómo no vas a estar, Dons?

—¡Dile que ya me largué a Inglaterra, tío!

—Esto te va a acabar matando. Voy a hablar con tu padre.

—Haz lo que tengas que hacer.

Y otro día.

Y otro.

Y...

De: Álex <alex_mex96@gmail.com>
Para: <direccion@moontower.com>
Asunto: RE: Adonde no conozco nada
Fecha: 29 de septiembre de 2009

Ayer, el Perro me vio llorando y no dejó de decirme marica ni cuando me fui a encerrar al baño.
¿Por qué no puedo ser como todo el mundo?
Te juro que en ese momento, si hubiera tenido un cuchillo, no habría dudado en usarlo. Lo habría obligado a devolverme el botón a la fuerza.
Te lo juro.
¿Cuándo vuelves de Monterrey?

Aprovechó la ausencia del tío Hódder para salir de casa, pero no en dirección a la Strandvej, sino a Rungstedlund. Ahora prefirió llamar a la puerta. La señora Carlsen le abrió.

—¡Filip! ¡Pasa!

—¿Se encuentra la baronesa?

—No por el momento, pero entra, anda.

Se quedó en el vano de la puerta, impávido. No contaba con que Tanne no estuviera. ¿Y si estaba de viaje? ¿Y si la habían reclamado en otro país, o en otro continente? ¿Y si había volado a América? ¿Y si por fin le habían dado el Nobel?

—Supongo que viniste por tus discos y tu valija.

—En parte, sí.

—Pasa.

Lo hizo entrar a la estancia y le ofreció asiento en el sofá grande, frente al piano. Ahí mismo, sobre el mueble, estaban sus cosas, esperando su regreso.

—¿Quieres café? ¿Un bocadillo?

—Estoy bien, señora Carlsen, gracias.

La luz entraba oblicua por las ventanas, cortando la estancia con cierto misticismo en el que las motas de polvo flotaban como minúsculas hadas caprichosas. El retrato de la joven kikuyu, por alguna razón, le pareció despiadado, cruel. Era tan bella que le recordó a Ellen Frisch. Lo mismo que cierta fragancia que percibió mientras pedaleaba hacia allá. Al igual que el distante rugido de las olas. Y...

A decir verdad, todo le recordaba a Ellen Frisch.

Suspiró. La señora Carlsen lo notó y permaneció en la sala.

—¿Ella... Tanne, volverá pronto?

—Oh, sí —respondió, limpiándose las manos en el delantal, poniendo fin a lo que estuviera haciendo en la cocina—. Solo fue a Copenhague, a resolver unos asuntos con la editorial.

Se animó a sentarse frente a él, aunque en la orilla de la banca del piano, como si su permanencia ahí fuera obligada.

—Solo los de su familia la llaman así, ¿lo sabías?

—¿Cómo?

—Tanne. Es como ella misma se nombraba cuando era muy pequeña. *Tanne,* porque no podía decir Karen. Un apodo cariñoso que viene desde el siglo pasado. Y que solo los de su familia usan.

—Pues qué raro.

—Solo recuerdo otra persona que le inspiraba la misma confianza que tú. El poeta Thorkild Bjørnvig. E incluso él le decía *baronesa,* ni siquiera Karen.

Filip hizo una mueca. No sabía si la señora le estaba reclamando su impertinencia o solo estaba llenando el hueco del silencio con palabras ociosas.

—Hacía mucho que no andaba en bicicleta. O que se sentaba a la máquina de escribir; últimamente dicta todos sus trabajos. Vive con un tercio de su estómago y, como verás, come muy mal. Pero en estos días ha estado más contenta, más vital. Toca el piano y la flauta nuevamente. Cita a los clásicos. Para serte sincera... todos aquí nos preguntamos... con toda honestidad, qué vio en ti para recuperar un poco de su pasión de antaño.

Filip no supo qué responder. Tal vez lo mejor sería tomar sus cosas y marcharse.

—En fin... —concluyó la señora Carlsen—. Lo que sea que haya sido, debe de haber sido muy bueno, muchacho. Muy bueno.

—Mejor me retiro, señora.

—Como gustes, Filip.

Se puso de pie, le tendió la mano y abandonó Rungstedlund. No estaba seguro de a qué había ido. Si a despedirse, a solicitar consejo, a discutir al fin *Siete cuentos góticos,* a pedir algún libro de recuerdo. El hecho es que marcharse así lo hacía sentir más desolado que en los últimos días. Repentinamente, lo acontecido ahí y en todo Rungsted parecía una ficción. Parte de un cuento corto, una historia imaginada.

Echó sus cosas a la bicicleta y comenzó el viaje de regreso. El sol ya iniciaba el descenso a sus espaldas. Pero a la mitad del camino a la costera, el coche de la baronesa lo interceptó. Filip disminuyó la velocidad para ponerse a la par de la ventanilla trasera. Una plácida alegría lo invadió. Sí, tal vez ese fuera el final, la despedida, pero al menos no se iría a Londres sin haber esbozado un *hasta pronto.*

Pedersen, una vez que frenó el auto, le hizo una venia detrás del cristal y aguardó.

Tanne bajó el vidrio de la ventanilla. Iba arreglada con uno de sus famosos turbantes, los ojos llenos de *kohl,* una esponjosa estola al cuello. La sonrisa presta.

—Tres cosas hago bien, *bwana* Filip: cocinar, contar historias y cuidar gente chiflada. Si quieres, puedes quedarte. Tengo espacio en Rungstedlund para ti.

La plácida alegría. Se sintió bien automáticamente.

—Gracias, Tanne. Pero ya me envió mi padre el dinero para volver a Londres.

—Serás feliz, Filip Dons. Te lo aseguro. En tres años o en trece o en treinta, pero serás feliz. Tienes lo que hace falta.

—Y a ti te darán algún día el Nobel, Tanne. Tienes lo que hace falta.

Ella lo volvió a escudriñar con la mirada, como aquel primer día. Hubiera tomado su rostro entre sus manos, de haber estado al otro lado de la puerta.

—Un hombre tiene que ser tan bueno como su palabra, Filip Dons. Quédate con eso, al menos.

Iba a subir la ventanilla pero, como si apenas lo recordara, dijo:

—Por cierto, se me ocurre que tal vez, antes de irte, te gustaría saber por qué Rudolph Frisch no se atreve a tocar a su hija.

—¿Cómo dices? ¿Por qué?

—¡Ja! ¿Y qué te hace pensar que yo te lo diré? —dirigió la mirada al frente—. A casa, Alfred, que estoy esperando una llamada de Carson y no quiero hacerla esperar.

El auto avanzó por el polvoriento camino. Filip permaneció con la vista clavada en la matrícula haciéndose pequeña hasta que el auto se estacionó en el patio de la gran casa y Tanne descendió del brazo de Pedersen. Le pareció que le obsequiaba una última y enigmática mirada a la distancia.

SE repitió hasta el cansancio que no era de su incumbencia. Pero también es cierto que se lo repitió por cuatro días seguidos.

—¡Maldita sea, Dons! ¿Voy a tener que echarte de mi casa? ¡Ya es veintidós! Tu padre te espera desde hace ya media semana.

Se lo contó Kristensen. Le dijo que eso decían los rumores, que nada estaba confirmado, que tanto era posible como que no, pero que con el maldito idiota de Frisch nunca se sabía. Aunque Filip no lo quiso creer al principio, acabó concluyendo que tenía lógica, que muy probablemente fuera cierto, y que era terrible.

Se repitió desde ese mismo instante, en la barra del Ballentin, que por horrible que le pareciera, no era de su incumbencia. Que él había cumplido un plazo en Rungsted a la manera de los convictos y que estaba listo para volver a su vida. Pero llevaba repitiéndoselo cuatro días. Cuatro días buscando un convencimiento que no llegaba. Hasta el viejo Hódder se había negado a tomar una llamada de Oskar Dons de larga distancia por no saber qué inventar.

—¡Verdaderamente estás loco, muchacho! ¡Te doy hasta mañana para decidirte o te juro que yo mismo te pongo a patadas en la calle!

No hubo necesidad de tal prórroga. Un terrible incidente hizo que los acontecimientos se precipitaran.

Ese mismo día.

El 22 de octubre de 1959.

Filip recordaría, años después, que en el mismo instante en que salió de la casa a la calle, en esa noche fría sin luna, se sintió como aquel hombre del libro de Karen Blixen del capítulo "Los caminos de la vida". Ese hombre que sale de su casa a buscar el origen de un ruido inquietante en el jardín y que ya da vuelta para un lado tratando de dar con él, ya da vuelta para el otro lado. Ya se detiene, ya brinca un obstáculo, etcétera... hasta que da con que se trata de una fuga en el dique de su estanque. Lo repara, vuelve a la cama y, al día siguiente, con la luz matinal, se percata de que, con sus pasos a ciegas, trazó en el jardín la figura de una cigüeña. ¡Una cigüeña! Años después recordaría Filip que, en el momento en el que su tío Hódder, con el semblante descompuesto, le pidió que saliera a la calle, se sintió como ese hombre del cuento. Y que se preguntó, mientras hacía el camino a la puerta, si todo lo que ocurría en su vida formaba parte, aún, de ese plan que creía trazado de antemano. Si todos sus pasos, al final, conseguirían el dibujo de una cigüeña de alas desplegadas.

—¿Qué pasa? —dijo, en el marco de la puerta abierta.

Era una noche tenebrosa y solo la luz de un farol a media calle los alcanzaba. Pero notó que un auto estaba estacionado frente a la casa, y que con toda seguridad no iba para ser reparado en el taller.

El viejo Hódder, descalzo, en bata, miraba al suelo, apoyado de espaldas en el alféizar de la ventana más próxima.

Dentro del auto había un hombre que aguardaba. Que a todas luces aguardaba.

—¿Qué pasa? —insistió Filip. El viejo Hódder le señaló, a media distancia, una figura oscura, de gabardina, que le daba la espalda a la casa, que miraba hacia el este, hacia el origen de su desgracia.

—¿Martha? —se aproximó Filip.

Ella se dio vuelta y lo abrazó. Así estuvo un muy buen rato, aferrada de él, sollozando. Filip supo el tamaño de la desgracia solo por la intensidad de sus sacudidas y la fuerza de sus brazos.

—¡Mi padre le decía que nadarían juntos algún día a Kyrkbacken, Filip! ¡Se lo decía tanto! —no dejaba de apretarlo—. ¡Pero eso fue hace más de treinta años!

—¿Dónde está? ¡¿Dónde está, Martha?!

—¿Por qué? Te lo juro que fue hace más de... más de...

—¡¿Dónde está, Martha?! ¡Dímelo!

—¡Oh, Filip... cómo te estimaba! No dejaba de repetir que irían juntos a Italia. Se estuvo probando sombreros el otro día, quería estar listo para el sol italiano. Y decía que... que...

Se derrumbó. Cualquiera diría que se había estado reservando para ese momento. Se desmoronó en los brazos de Filip devolviéndole a la noche su natural quietud. El hombre del auto se apeó al instante para ayudar al muchacho a sostener a su esposa. El viejo Hódder se apresuró a abrirles la puerta de la casa.

Media hora después, cuando despertó y pudo incorporarse en el sofá, un ruido atroz en las cercanías llamó la atención de Martha. Tal vez eso mismo la había arrancado del sueño falaz del desmayo.

—¿Qué pasa? ¿Y Filip?

Frente a ella solo estaban su esposo y el viejo Hódder, ambos con el mismo pesar dibujado en el semblante.

—¿Y Filip?

Desde el taller, golpes furiosos de metal contra metal, estrépito de cadenas sueltas, de tuercas volando y vidrios haciéndose añicos. El inconfundible escándalo de la destrucción, de la ira, de una batería deshecha hasta su mínima expresión, de una puerta, y otra, y otra, del forro de los asientos, del volante y los espejos, los rines, las balatas, el cigüeñal, los pistones, los pedales, los filtros...

—Dios... —susurró Martha, llevándose una mano a la boca.

De cualquier forma, ninguna transmisión haría ya jamás andar a ese auto.

E_L cuerpo lo recuperaron de la playa misma. Las olas habían sido lo suficientemente gentiles con el hombre gordo que jugaba con ellas como para depositarlo en la arena. Doce horas después de haberse ahogado, pero al menos tuvieron esa última cortesía con él.

Filip tuvo que usar un traje negro de su primo Jon para asistir al servicio fúnebre a las once de la mañana. El traje le venía corto, pero no como para hacerlo ver ridículo. Llegó al lado del viejo Hódder; dio el pésame a Martha y a su esposo por segunda vez. Atisbó dentro del ataúd con una angustia desconocida metida en el cuerpo. Se disculpó de nuevo con su calvo amigo. Le dieron ganas de empujarle los anteojos con el dedo índice.

Pocos asistieron al servicio, no más de quince. A Filip le rompió el corazón que en la mesa hubiera algunos bocadillos para los asistentes. Recordó que Martha lo había invitado a cenar alguna vez y que nunca habían podido concretarlo.

Una corona mortuoria decía *Altid godt vejr, Ole! Har en dejlig tur!* "¡Siempre buen clima, Ole! ¡Buen viaje!"

En cierto momento, entró por la puerta un muchacho alto, uno de los que alguna vez molestaron al buen gordo en la playa. No Gustav, sino otro. Se le veía realmente compungido e iba en compañía de su madre. Saludó a Martha

128

y se mostró respetuoso. Hizo una venia a Filip. Se paró al lado del féretro y varias veces se frotó los ojos, varias veces se presionó el puente de la nariz.

Filip, desde el fondo de la estancia, destrozado por dentro, gracias a la llegada del muchacho buscó en su interior. Hurgó en la última fibra de sus entrañas, en su estómago, en su corazón, y no sintió ningún deseo de lanzarse en su contra. Ningún deseo. Pero, en cambio, comprendió.

No que estuviera sanado o desintoxicado, redimido o escarmentado. Pero sí comprendió.

Recordó aquel momento, aquel amargo sabor en la playa, cuando Ole todavía podía saltar con las olas y él hurgaba también, sin éxito, en su interior.

Tenía que ver con la justicia. O con alguna otra razón de ese mismo peso específico.

Se le escapaba la palabra pero, por lo pronto, tenía esa. *Justicia.*

Hacerse a un lado es de cobardes cuando se atestigua una injusticia.

Y comprendió. Supo lo que tenía que hacer.

O, al menos, lo que le haría sentir menos miserable.

Se disculpó con Martha, hizo una señal al viejo Hódder de que saldría y, puesto que habían acudido a casa de Martha en automóvil, tuvo que andar a pie de vuelta al puerto. Caminó sin aminorar el paso por casi una hora en dirección al norte por la Strandvej. Eran casi las dos de la tarde cuando llegó a su destino. El cielo era de un azul de lienzo. Las gaviotas lo saludaron desde su cómoda posición en la más alta bolsa de aire de la playa con sus chillidos. Parecían decirle: "¡Estupendo, capitán! ¡Estupendo!"

Llamó a la puerta.

No tenía miedo.

De: <direccion@moontower.com>
Para: Álex <alex_mex96@gmail.com>
Asunto: RE: Adonde no conozco nada
Fecha: 2 de octubre de 2009
Adjunto: CartaKB.pdf

Álex... Álex... no vayas a hacer ninguna tontería, por favor. Ayer le pedí a mi secretaria que me escaneara para enviártela cierta carta que tenía guardada. Quiero que entiendas por qué digo que ese botón no vale la pena de nada. Yo espero estar de vuelta en México el lunes.
Lamento muchísimo lo de Doris, pero no creo que debas sentirte mal por haberte enamorado de ella. Los buenos sentimientos nunca deben ser motivo de vergüenza o pesar, no importa hacia quién estén dirigidos.

Te mando un abrazo fuerte.

El abuelo

—HOLA, Ellen.

Supo al instante que había hecho bien, porque ella se cubrió la boca en cuanto reconoció su voz. Inclinó la cabeza. Fue evidente que luchó contra el sentimiento, vaya que luchó. Pero le fue imposible no dejar escapar, al menos, una lágrima.

—Hola, Filip —se limpió la mejilla con una mano.

—Tenemos que hablar.

—Creí que ya te habías ido.

—Ya ves que no. ¿Puedo pasar?

Ella se hizo a un lado. Filip, de traje oscuro, camisa blanca y corbata negra, se sentó al sofá. Irónicamente, parecía uno de esos ministros religiosos que van de puerta en puerta con una Biblia en la mano.

—Llama a tus hermanos.

—Pero...

—Llámalos o los llamo yo.

Ellen no pudo ocultar su asombro. Fue al primer escalón y gritó:

—¡Hedda! ¡Josef! ¡Bajen!

—¿Qué? —esbozó la incrédula voz infantil de Hedda desde arriba.

—Que bajen.

Con timidez, aparecieron ambos niños por la escalera.

Filip se encontraba de pie, con las manos en los bolsillos, en el centro de la estancia. Parecía mayor, de unos diecisiete o dieciocho años. Acaso más.

—Hola, Filip —dijeron al unísono. A él le complació ver que no tenían nuevos golpes notorios, que las cosas habían marchado bien en esos días. Quizá porque nada del exterior había entrado a "contaminar" la paz de esa casa.

—Chicos, nos vamos. Todos.

—¿Qué? —dijo Ellen.

—Nos vamos a Inglaterra. No me importa cómo le hagamos. Pero ustedes no pueden seguir aquí, e Inglaterra me parece el mejor sitio por el momento.

—¿Te das cuenta de lo que estás diciendo? —se exaltó Ellen—. ¡Eso es imposible!

—¡Son ustedes los que no se dan cuenta, Ellen! —se aproximó a ella, señaló el crucifijo de la sala como si ella pudiera verlo—. Nunca he sido religioso, pero sí me queda claro que Dios no quiere nada de esto para ustedes. ¿Tan difícil les es aceptarlo? Lo que pasa aquí no está bien.

Ninguno de los tres muchachos Frisch dijo nada.

—¿Pero...? ¿A Inglate...? —murmuró Ellen.

—Ya lo resolveremos; por lo pronto váyanse con la baronesa. Díganle que van de mi parte. Yo me quedo a esperar a su padre. Voy a hablar con él.

—No, Filip... —exclamó Ellen—. Tú no entiendes...

—No pienso ceder en esto, Ellen. Váyanse, por favor.

Ellen sintió un arrebato interior como nunca antes había sentido. Los ojos se le cristalizaron de nuevo. Era como esa canción en el tornamesa de Filip. Hermosa, fantástica, incomprensible...

—Por favor —insistió Filip.

—Es que... no creo que papá quiera hablar contigo.

—Entonces haré lo que tenga que hacer.

—Ellen, ¿qué pasa? —preguntó Hedda, confundida.

Y ella, la hermana mayor, dirigió sus opacos ojos violeta hacia su hermana. Se arrodilló a su lado. Cobró estatura ante ella, acaso por primera vez en su vida.

—Vayan a Rungstedlund, nena. Todo estará bien.

—¡No, váyanse todos! —alzó la voz Filip—. Tú también, Ellen. Esto lo arreglo yo. Por favor.

Ellen dio un beso en la frente a Hedda. Otro a Josef.

—Ya saben el camino. Es todo derecho, como si fuéramos a la iglesia, pero se meten en el camino que está antes de llegar al *kaffebar*.

—No, Ellen... —dijo Filip.

—Vayan, chicos. Más tarde los alcanzo o voy por ustedes.

Hedda y Josef miraron a Filip. No les agradaba esa nueva intrusión. Ese nuevo Filip. Pero, aun así, abrieron la puerta. Se perdieron tras ella. Ellen y Filip se sostuvieron del silencio una vez más.

—¿Ya comiste? —dijo ella, al cabo de un rato.

De: Nora Olsen <norolsen@hotmail.com>
Para: Fil <direccion@moontower.com>
Asunto: ¿Estás bien?
Fecha: 3 de octubre de 2009

Amor, me preocupó un poco tu llamada...
No sueles hablar a medianoche cuando sales de
viaje. ¿Estás bien? ¿Tiene que ver con Alex?
Algo me comentó Karen de que estabas
preocupada por él...
¿Te digo la verdad? Le hablé también a Luis
Ortiz para preguntarle si te veía. Qué bueno
que decidiste que te acompañara a ver a esos
proveedores. Me contó que sí te veía un poco raro,
que se fueron a tomar una copa al bar del hotel
y le preguntaste esto: "Si pudieras hablar con el
muchacho que fuiste en tu adolescencia, ¿qué
le dirías? ¿Lo reprenderías? ¿Lo confortarías?
¿Serías como un padre para él o como un amigo?
¿Te importaría lo que siente, lo que piensa, aquello
en lo que cree?"
¿Es cierto, Fil?
¿Estás bien?
Si me necesitas, llámame. No importa la hora.
Te amo.

LE ayudó a lavar los trastes y luego la alcanzó en la estancia. Apenas eran las cuatro de la tarde. Al menos faltaban otras cuatro horas para que oscureciera, tal vez cinco para que volviera el señor Frisch. Se sentó en el suelo. Sintió que ya no tenía que fingir más. Ella, con las manos en el regazo, mantenía una actitud rígida, expectante.

—¿Estás nerviosa?

—Un poco.

—Se va a arreglar, vas a ver.

—Pero eso de irnos a Inglaterra...

—¡Shhh! —la calló—. Mi padre no tendrá inconveniente.

—Pero ustedes no son ricos, Filip.

—Nos las arreglaremos. Yo puedo enseñarles inglés.

—No es tan fácil. Estoy segura de que...

—Sé lo que pasó.

—¿Sabes lo que pasó?

—Sé que te caíste por la escalera. Sé quién te empujó. Sé que no puedes ver desde ese día.

El viento comenzó a soplar afuera. Aquel postigo descompuesto se azotaba, pero Ellen no le dio importancia. Su postura se volvió más rígida.

—Sé que por eso ya no se atreve a pegarte como a tus hermanos. Porque, si quisieras, podrías denunciarlo.

Ellen apretó sus manos entrelazadas. Sus nudillos se hicieron aún más blancos.

—En el fondo es un buen hombre, Filip. Lo sé. Solo quiere salvar nuestras almas. ¿Y qué hay de malo en ello? Por eso nos reprende tan fuertemente. Porque dice que así es él quien peca y no nosotros.

Filip no pudo evitarlo. Se acercó a ella arrodillado, le tomó las manos.

—Ellen... tú no crees eso, ¿verdad? No es posible que creas eso.

Ellen hizo fuerza de contención, tal vez como nunca antes en su vida. A los pocos segundos no soportó más y sufrió un estallido de llanto que reprimió al instante. Se limpió nuevamente las lágrimas.

—No, tienes razón, Filip. No lo creo.

—Entonces todo va a estar bien. Y todo va a salir bien.

Filip quiso volver a su sitio pero ella no se lo permitió. Le apretó con fuerza la mano. El *tic tac* del reloj de péndulo parecía consentirlo. Las paredes. El cuadro con la consigna. Todo parecía consentirlo.

Ellen puso entonces su mano derecha sobre la frente de Filip. Luego, la izquierda. Comenzó a sentirlo con lentitud. Las mejillas. La nariz. Los labios. Con ternura, con delicadeza. El cabello. El cuello.

El cuello.

—¿Qué...?

—Es un tatuaje.

—¿Un tatuaje?

La tarde se rehusaba a avanzar, pese a lo mucho que se esforzaba el reloj de péndulo. Pese al viento en la calle. Pese a la tangible ansiedad.

—Una luna y una torre.

—¿Una luna y una torre? ¿Qué significan?

—Nada. Los escogí de un catálogo. Solo quería hacerme un tatuaje.

—Yo sé qué significan —dijo ella, resueltamente.

—¿Ah, sí? —Filip estaba temblando y era imposible ocultarlo. Las manos de Ellen en su cuello. Su aliento, así de cerca. Sus ojos, fulgurantes.

—Pero no te lo diré. Solo te diré que la luna es pálida. Muy pálida. Y su cabellera, que es como la noche o es la noche, es negra, sin estrellas. Muy oscura —no dejaba de acariciarlo—. Y muy quieta. Y colmada de sueños. Es una luna llena y una luna nueva a la vez.

—¿Y la torre?

—Es alta y buena. Es del mismo color del viento.

Un nuevo golpe de los postigos hizo reaccionar a Filip. Se apartó de Ellen.

—Pero... ¿qué haces? —dijo ella—. Falta mucho para que... acércate.

—No.

—¿Por qué?

—Porque no soy lo que tú piensas, Ellen. Y lo que va a ocurrir al rato seguramente no será de tu agrado. Voy a enfrentar a tu padre. Si él no quiere dialogar, como dijiste, estoy dispuesto a... —se sintió avergonzado, aún más de lo que creyó que podía descubrir Ellen si seguía tocándolo—. En fin, que te decepcionarás, de mí pero no me importa.

—Eso es imposible. Ahora me doy cuenta de que eso es imposible.

—No lo es. Si pudieras ver...

—¡No me ofendas, Filip! ¡Veo todo lo que hace falta ver!

Ahora el rugido de las olas, a lo lejos, vistió la escena, la inquietante espera. En Ellen se reflejaba una ansiedad distinta. De pronto ya no temblaba.

Quizás era aquella canción de los Everly Brothers. Quizá la posibilidad, sí, de imaginarse a sí misma en Londres. Quizá...

—No, Ellen. No todo.

—Ya te dije que...

Se aproximó nuevamente a ella. Se arrodilló y tomó su mano. Justo desde donde la tenía puesta, minutos antes, la guio con gentileza.

Los ojos violeta de Ellen cambiaron. A tan poca distancia de Filip, por un milagroso segundo, parecieron enfocarlo. Él se apenó de nueva cuenta. Pero no por el reconocimiento que hacía ella de su espalda, sino por otra cosa, una nueva revelación. La miró. Ella, desde algún profundo lugar de su interior, también lo miró. Con la suficiente intensidad como para que Filip pudiera caer en cuenta de lo mucho que ahora le importaba la última frase de Ellen. Así como alguna vez pensó en tres minutos sin Ellen y le parecieron insoportables, ahora imaginó tres minutos del despiadado Filip *The Freak* Dons en presencia de Ellen y le parecieron igualmente inconcebibles. Ellen veía. Eso ahora estaba claro. Ella misma lo afirmó. Para él, con eso bastaba. Ellen ve lo que hace falta ver, se dijo. Solo lo que "realmente" hace falta ver. Eso, para él, era suficiente.

La mano de Ellen se posó en su mejilla. Las paredes, la duela, Jesús, las ventanas, todos los dioses, el mar, todos y cada uno de los relatos escritos desde el principio de todos los tiempos, el viento... el viento... el viento... todo parecía consentirlo.

Ambas manos ahora.

Repentinamente le pareció a Filip que Tanne podría tener razón. Que en el futuro, tal vez, la poesía...

De: Karen Dons <K_Dons@gmail.com>
Para: Papá <direccion@moontower.com>
Asunto: Álex
Fecha: 4 de octubre de 2009

Papá:

Solo quería que supieras que Álex ya está mejor.
Lamento haberte llamado al celular, pero como
supe que él y tú estaban empezando a llevarse
bien, se me hizo natural.
Gracias por haber volado tan de prisa desde
Monterrey. Él lo valoró mucho. Ahora en la mañana
me lo dijo.
Los médicos dicen que no pasó de una conmoción
y que en dos días puede volver a su vida normal.
Pobre de mi hijo, tan poco acostumbrado a pelear,
pero esos muchachos ya lo tenían harto. Fue una
caída solamente, un simple empujón. En las placas
no salió nada de cuidado, como te dije ese día.
Me pidió que te dijera que ya leyó tu novela (¿cuál
novela?) y que le gustaría mucho platicar contigo.
También me dijo que hizo lo que hizo a pesar de
haber leído ya el pdf que le mandaste. Que no lo
odies por eso, que no se siente nada orgulloso de
lo que hizo (¿cuál pdf?).
Otra cosa. Me costó trabajo pero encontré mi
ejemplar de *Memorias de África.* ¡Ah, cómo dio
lata tu nieto para que se lo consiguiera! Ya lo está
leyendo. Ah, y me pidió también que te dijera que le
gustaron mucho los *Siete cuentos góticos.*

Te quiere,

Karen

Eʟ sargento Walls bajó del taxi. El telegrama del viejo Hódder, sumado a la petición de Oskar Dons de que se encargara del asunto, le hicieron decidirse a hacer el viaje. Tuvo que volar a Copenhague de emergencia pero no hubo ningún contratiempo, y a las once de la mañana ya estaba arribando al taller de Hódder Jensen, en la calle de Hestehaven, Rungsted, Dinamarca.

No llevaba equipaje. Solo una valija con enseres personales y la aprensión de aquel que, después de haber peleado en una gran guerra y haber enfrentado a los peores criminales londinenses, aún no comprende los mecanismos del mundo.

Llamó a la puerta. El viejo Hódder lo recibió con su inglés chapurrado.

—Por favor entrar, teniente.

—Sargento, señor Jensen, sargento. ¿Cómo está el muchacho?

—¿Querer café?

—Luego. ¿Cómo está?

Hizo una seña indicando que más o menos. Luego le dio a entender lo que en cortas frases ya había expresado en el telegrama puesto a mitad de la noche: que el muchacho había vuelto a pelear, que se había metido con quien no debía, que tuvo que ir a recoger su cuerpo inconsciente a la orilla de la carretera, gracias a la notificación telefónica de un buen samaritano. Que tenía la cara deshecha.

—¿No habrá necesidad de hospitalizarlo?

—Ya preguntar él —dijo Hódder—. Dice que él bien, que estar bien.

—¿Ya despertó?

Por respuesta, Hódder le mostró el camino. Lo llevó a la habitación de Filip.

En cuanto atravesó la puerta, el tío Bob sintió una punzada en el pecho. Nunca, después de tantas peleas de Filip de que había tenido noticias, había visto su rostro tan desfigurado. Se sentó en una silla, de la que tuvo que apartar un libro, *Memorias de África*. Filip, al notar el movimiento, se sorprendió decidiendo no devolverle el ejemplar a Kristensen. Nunca.

—No sé qué decir, Filip —dijo Walls, quitándose apenas el sombrero.

—No hay nada que decir, tío Bob.

Resopló, como si por primera vez, después de varias horas de correr, al fin pudiera sentarse.

—Tal vez tengas razón y lo tuyo sí sea pelear. Pelear y pelear. Pelear y pelear.

—Tal vez —contestó Filip con desgano.

—Pelear y pelear hasta que te encuentre la muerte en un callejón maloliente.

—Tal vez.

—Antes de que cumplas la mayoría de edad. Hallado muerto entre la basura y la mierda de un callejón maloliente.

—Tal vez.

—¡¿No te importa nada de nada o qué?! —tronó el sargento Walls.

Filip solo desvió la mirada. Apartó las cobijas y comenzó a vestirse. El traje de su primo Jon, ensangrentado, se encontraba mal doblado a los pies de la cama. La camisa no aparecía por ningún lado; supuso que habría quedado inservible después del enfrentamiento con el señor Frisch y ya estaría en la basura.

—¿No quieres darte un baño antes? —lo reprendió el sargento Walls.

—¿Para qué hacerte esperar, tío Bob? Viniste para llevarme a casa, ¿no?

—Algo así.

—¿Algo así?

—Supongo que recuerdas que... —le costó trabajo continuar. Tal vez recordaba a Oskar Dons poniendo su cuerpo a salvo en el desembarco francés de 1944—. En fin, que ya pedí que te ingresen al *borstal* de Kent por tres años.

—¿No dijiste alguna vez que sería como entrar a una verdadera escuela del crimen, tío Bob?

Atribulado, el sargento se pasó una mano por la lacia cabellera.

—Te va a ayudar. Conozco chicos que han salido de ahí verdaderamente cambiados.

"Tres años", pensó Filip. Pero también se propuso que, si no había llorado hasta entonces...

—En realidad lo hago como un favor a tu padre. Puedes continuar la escuela desde dentro y...

—Vámonos, tío Bob.

—...y por mucho que pelees ahí, nadie...

—No necesitas explicar nada. Vámonos.

Terminó de ponerse los zapatos en silencio. Hizo su equipaje con el sonido del sargento tomando café, a sus espaldas. Guardó con cuidado sus discos en la maleta de la ropa y cerró su tornamesa. Tomó *Memorias de África* y lo echó en una bolsa de su chaqueta. Se peinó frente al espejo del sanitario; limpió el exceso de sangre de algunas cicatrices de su rostro; se despreocupó por el ojo izquierdo, completamente cerrado.

—¿Quieren yo llamar taxi Copenhague? —dijo el tío

Hódder, sentado a la mesa del comedor. Una música en muy bajo volumen salía del radio.

—Bueno, eso sería muy amable de su parte, señor Jensen —respondió Walls.

Hódder asintió. Hizo la llamada. Al volver a la mesa del comedor, Filip ya había salido del baño, medianamente acicalado. Tomó el muchacho la maleta de su ropa y su tornamesa. Se plantó frente al viejo, soltó la tornamesa y le extendió la mano sin mirarlo a los ojos.

—Gracias por todo, tío —dijo en danés—. Y usted disculpe.

Hódder le estrechó la mano con fuerza.

—Bah. He hecho mejores cosas por sujetos que me caen peor que tú.

Filip sonrió levemente.

—Y perdón por estropear el traje de Jon.

—¿Ese bueno para nada malagradecido? Ni te preocupes, Dons. Seguro puede comprarse cien trajes como ese allá en donde tenga su maldito *penthouse* con piscina. Por cierto... —lo obligó a mirarlo, tomándolo por la nuca—. Tienes buena madera, ¿me oíste? No dejes que ningún poli de cuarta te haga creer lo contrario. ¿Me oíste? Eres un buen muchacho. De todos los Dons que conozco tú eres el menos inútil, créeme. Y eso incluye al bueno para nada de tu padre.

Filip solo apretó los labios y asintió. Hódder le soltó la mano.

—¿Puedo esperar afuera? —preguntó en inglés. El sargento Walls asintió y lo vio salir con una incipiente melancolía metida en el espíritu. Agradeció de nueva cuenta al cielo no tener hijos. Pidió a Hódder otra taza de café.

De: Álex <alex_mex96@gmail.com>
Para: <direccion@moontower.com>
Asunto: RE: Adonde no conozco nada
Fecha: 8 de octubre de 2009

Hablé con el Perro hace rato en la escuela. Me costó trabajo, casi tuve que acorralarlo. Se ve que no es un tipo de palabras. Pensé que las cosas iban a terminar mal de nuevo.
Pero me escuchó y lo escuché.
Nos disculpamos.
Luego vino Pato a platicar conmigo.
Se siente bien. Estar con alguien que te entiende y que te quiere. Charlar sin tener que fingir, sin hacerte el interesante. Recargarte en el hombro de alguien que sabe lo que estás sintiendo. Quedarte en silencio...
También ayer fui a tu casa pero, como no te encontré, te dejé con Hortensia un pequeño regalito. Sea como sea, ya entendí que no es el objeto en sí lo que vale, sino lo que representa. Así que creo que no te importará conservarlo.

Un abrazo.

Álex

P. D.: Por supuesto, aproveché para hablar con la abuela y aclararme algunas dudas respecto de *Adonde no conozco nada.*

144

FILIP, en la acera, acomodó su veliz en forma vertical y se sentó en él. Metió las manos en los bolsillos de su chaqueta. No quería pensar en nada, solo no deseaba estar dentro, tolerando una conversación trivial sobre el clima en un horripilante inglés forzado, cuando él tenía el ánimo tan descompuesto.

Tocar accidentalmente el libro de Karen Blixen dentro de su chaqueta fue como una suerte de conjuro. Apareció sobre Hestehaven el auto de la baronesa. En cuanto se detuvo, Pedersen se apeó para abrirle la puerta.

Filip lo contempló atónito. Como si formara parte de una extraña representación teatral que no tuviera nada que ver con él.

—¿Y bien...? ¿Subes o no? —dijo al fin Tanne desde el interior.

—Pero...

—Sube, *bwana*.

Pedersen ya estaba subiendo el equipaje de Filip a la cajuela cuando el tío Bob salió a toda prisa de la casa.

—¡Supongo que no se opone a que lleve al muchacho al ferry yo misma! —dijo Tanne en inglés.

—Se lo agradecemos mucho —respondió el sargento—. Entro por mis cosas y salgo.

—Lo siento, señor —sonrió Tanne con cinismo—. Solo

el muchacho. Cuestiones de comodidad, usted comprende a esta pobre vieja...

Instó con un gesto a Filip a que se apresurara y este, sin mirar atrás, entró al auto.

Pedersen cerró la puerta y volvió al volante. Por el medallón posterior, Tanne pudo notar el desconcierto en el rostro del sargento a mitad de la calle. Era algo cómico y no pudo evitar soltar una buena carcajada. A Filip le dio gusto verla así, sonriente, traviesa, como si ningún incidente en la vida valiera la pena de una sola preocupación.

—Algo me contó el viejo Hódder de todo esto cuando llamé en la mañana. Todavía no despertabas. Ese hombre no es tu padre, ¿verdad?

—No. Es... un amigo de mi padre. Es policía allá en Londres.

Tanne le apretó una mano.

—¿Qué te espera allá en Londres, *bwana* Filip?

—No creo que quieras saber, Tanne.

—Tal vez no. Tal vez sí. Sabes que mi oferta sigue en pie, ¿no? La de que te quedes conmigo en Rungstedlund. Ahora mismo podemos hacerte perdedizo, podemos inventar que te diste a la fuga, ¿qué me dices?

Filip apretó, ahora él, la mano de Tanne. Miró por la ventanilla. No pudo más. Una lágrima se anunció en su único ojo abierto. Suspiró con fuerza. Luego, otra lágrima. En verdad no pudo más. Ella tiró de su mano y lo abrazó contra sí. Filip comenzó a sacudirse tan violentamente, con tanta intensidad, que parecía que se desmoronaba, se partía en mil pedazos. Eran las lágrimas guardadas por catorce años, casi quince. Eran las lágrimas de un niño que nació sin infancia. Pedersen trató de no mirar por el retrovisor.

—*Je responderay* —dijo ella—. Es la frase que estaba en el escudo de armas de Denys Finch-Hatton. ¿Sabes qué significa? "Responderé". "¡Responderé!" Si me necesitas, ahí estaré. A tu lado, para lo que haga falta. Requirió mucho coraje lo que hiciste ayer, Filip Dons. Mucho coraje.

Pedersen llegó a la Strandvej. Por órdenes previas de la baronesa fue hacia el norte, en dirección contraria a Copenhague. Ella le había dicho que el día era idóneo para visitar Elsinor, rendir honores al príncipe Hamlet.

—Aunque, me queda la duda... ¿Por qué no metiste las manos, Filip?

Filip, sin levantar la cabeza, puesta en el regazo de Tanne, por única respuesta dejó de sollozar.

—Lo supe por Ellen —añadió ella.

—¡Ellen! —exclamó Filip—, ¿qué te dijo?

—Que intentaste convencer a su padre de que los dejara ir. Una y otra vez. Que el malnacido de Frisch te echó una y otra vez de su casa hasta que le colmaste el plato y comenzó a golpearte. Una y otra vez. Y que siempre volvías. Puñetazos y puntapiés. Y que siempre volvías. Una y otra y otra vez. Hasta que te rendiste en el porche, inconsciente. ¿Por qué no metiste las manos?

—No pude, Tanne. No con Ellen ahí. Pensé que se iba a quedar con esa impresión de mí para siempre. El infeliz de Filip Dons dándole una paliza a su padre. No me gustó.

Tanne le acariciaba el rostro. Sonreía mientras Alfred guiaba hacia Elsinore sin prisa.

—Dime una cosa, *bwana* Filip. ¿Habrías podido con ese león tú solo? ¿En verdad?

—¿A Frisch? Lo habría derrotado con una sola mano, Tanne.

Ella le limpió delicadamente las mejillas con su pañuelo. Siguió acariciándolo.

—¿Y cómo está ella? ¿Ellen? —al fin se incorporó Filip. Se pasó por la cara una mano.

—Ella y los niños están bien. Después de lo que pasó ahí, Ellen misma fue a la carretera y paró un automóvil, y le pidió al chofer que te llevara a casa de tu tío. Luego entró por algo de ropa y se fue para siempre de ahí. Llegó a Rungstedlund como a las doce de la noche de ayer. Para una chica ciega, fue toda una hazaña en verdad.

147

—¿Se van a quedar ahí?

—Imposible. Ya no puedo sostener esa casa. Estoy haciendo arreglos para que un patronato me ayude a su manutención. Pero incluso yo... es posible que me vaya. Tal vez comencemos a planear el museo, el museo de Karen Blixen. ¿Qué te parece? Pero los niños y Ellen se van con una tía que tienen en Bruselas.

—No entiendo. ¿No me acabas de ofrecer que me quede yo en Rungstedlund? ¿Cómo sería eso posible si dices que se va a volver museo? —hubiera agregado, "en verdad estás loca, Tanne", pero supuso que todo lo que salía de la boca (o de la pluma) de su amiga tenía una razón de ser. Todo.

Ella desvió la mirada, no le soltaba la mano. Cualquiera habría dicho que hacían solo un paseo rutinario de cualquier día entre semana. Miraba por su propia ventanilla con beneplácito.

—Y dime la verdad, Filip. ¿Habrías aceptado?

Filip notó que viajaban con el mar a su costado derecho, que iban en dirección contraria. Revisó en su interior. Ahora, todo eso que le costaba tanto trabajo hallar y reconocer se encontraba a flor de piel, en la mera superficie. Ya no había necesidad de hurgar tanto en el arcón de sus sentimientos.

—No, Tanne. No.

Los ojos de ella y Pedersen se encontraron en el retrovisor. Pedersen hizo una señal de aceptación y frenó para dar la vuelta en redondo, en dirección a Copenhague.

—Eres un hombre con honor, Filip. Catorce años y ya eres un hombre. Y no cualquier hombre: eres un hombre con honor. Esa es la palabra que estabas buscando.

Le hizo un guiño. Y Filip comprendió a lo que se refería cuando decía que veía cosas, muy a su pesar. La luna nueva en la noche más oscura. O aquello de lo que está hecha una persona.

—Puedes tener el mundo entero, Filip. Pero si no tienes

honor, no eres nada porque no vales nada —le acarició el cuello, el nacimiento del tatuaje—. He viajado por todos los rincones del planeta, *bwana*. He estrechado la mano de príncipes y pordioseros, y el honor no lo hallas tan fácilmente, ni en unos ni en otros. Así que... no sé qué te espere en Londres. O en el sitio en el que decidas buscar la felicidad. Pero sé que te irá bien. Sé que te irá muy bien. Y no estoy hablando de retribuciones económicas ni reconocimientos de importancia, desde luego. No, señor. Nada de eso.

Filip suspiró. Se sentía más entero, aunque inmensamente desdichado. La casa azul de la Strandvej apareció frente a ellos y se quedó atrás como un suspiro.

—Así termina todo, ¿no, Tanne?

—¿Qué?

—Que así termina todo.

—¡Por Goethe, Hölderlin y Pasop! ¡Eso quisieras! ¡Con el diablo no pactas y te vas a tu casa con una disculpa! La pasión no se entierra tan fácilmente.

Filip pensó, desenfocando la vista, hundiéndose en la rápida sucesión de colores del paisaje, que tres años... tres años... ¡Tres años! ¿Cómo sobrevivir tres años? La mera pronunciación de su nombre era increíblemente dolorosa. ¿Cómo sobrevivir tres años? Efectivamente, la pasión puede ser exultante, celestial, terrible, monstruosa. Gloriosa.

Gloriosa.

"Ellen", dijo en un susurro. "Ellen", insistió, solo por probar. Cinco letras y un mundo por delante. ¿Cómo sobrevivir?

Las manos de Ellen Frisch entre las suyas.

—Dime una cosa, Tanne. El último viaje que hiciste con Denys en su avión recorriendo las colinas de Ngong y la reserva masai, espantando a los leones y las jirafas, los ñus y las cebras, aquel viaje con los baobabs de alfombra y los pescadores swahili saludándote desde abajo, ¿cuánto duró?

—¿Tienes el botón, Filip? ¿El botón de Andersen?

—Sí.

—Guárdalo. Guárdalo muy bien. Algún día escribirás la historia. Cuando lo hagas, verás que siempre tuve razón.

Filip supuso que Tanne había ignorado deliberadamente su pregunta. Metió la mano a su chaqueta y extrajo el libro.

—Como supongo que ya no nos volveremos a ver, Tanne, ¿me lo dedicas?

—A eso me refiero, *bwana*. ¡Claro que nos volveremos a ver! ¡Y precisamente por eso no te lo voy a dedicar!

—Mmm... Si tú lo dices.

—Claro que lo digo. ¡Si en realidad tengo tres mil años y he cenado con Sócrates, muchacho! Y respondiendo a tu pregunta... ese último vuelo con Denys Finch-Hatton, querido Filip Dons... ¡aún no termina! ¡No termina!

De: \<direccion@moontower.com\>
Para: Álex \<alex_mex96@gmail.com\>
Asunto: RE: Adonde no conozco nada
Fecha: 12 de octubre de 2009

De acuerdo. Es lo que representa. Me da gusto que lo hayas recuperado. Lo tengo aquí frente a mí, mientras termino este informe de resultados a los accionistas de Moontower desde mi "Cuarto de Ewald", aquí en la casa. Un botón con un águila que no podría valer un mísero centavo en e-bay. Como sea...
Gracias, Álex.

Te quiere,

Tu abuelo

De: Karen Dons <K_Dons@gmail.com>
Para: Papá <direccion@moontower.com>
Asunto: Álex, de nuevo
Fecha: 14 de octubre de 2009

Papá: ¡Dile a Álex que deje eso de los poemas! ¡No sale de su cuarto casi ni para ir al baño!

De: Papá <direccion@moontower.com>
Para: Karen Dons <K_Dons@gmail.com>
Asunto: RE: Álex, de nuevo
Fecha: 15 de octubre de 2009

Se llama pasión, Karen querida. Seguro lo recuerdas. Pasa muy seguido durante la adolescencia. Pero no te preocupes, no mata a nadie.
Por el contrario, te hace vivir. Vivir. Más intensamente, sobre todo. Pero nada de misas negras, conjuros nocturnos y cosas de esas.
No te preocupes.

Te quiere,

Papá

De: Álex <alex_mex96@gmail.com>
Para: <direccion@moontower.com>
Asunto: RE: Adonde no conozco nada
Fecha: 17 de octubre de 2009

¿Y entonces, Filip? ¿Entonces?

De: <direccion@moontower.com>
Para: Álex <alex_mex96@gmail.com>
Asunto: Re: Adonde no conozco nada
Fecha: 17 de octubre de 2009

De acuerdo, aunque ya no hay mucho que contar.
A los tres años salí del *borstal,* el 7 de noviembre
de 1962, justamente dos meses después de la
muerte de la baronesa Blixen. No puedo decir que
en todo ese tiempo me hayan cambiado ahí dentro.
Al menos no del modo que hubiera deseado mi
tío Bob. Tal vez ingresé cambiado, no sé si me
entiendas.
Como sea, cuando al fin salí, no fue como si
hubiera pasado apenas una semana de aquel
principio de otoño en Rungsted, como pasa en las
películas.
Yo era otro. Otro y el mismo. Tenía dudas, muchas
dudas, pero al menos una cosa sí te puedo
asegurar: aquel puñetazo en la cara del sanguinario
John Wilkins fue el último golpe que di en mi vida.
Y no fue fácil mantener ese récord en el *borstal.*
Nada fácil.
Como sea, supongo que la correspondencia que
mantuve con mi tío Hódder y con mi padre me
ayudó a mantenerme vivo, pero con nadie más
del exterior establecí contacto. Ni siquiera con
Tanne. Así que comprenderás que tuve miedo
cuando salí libre otra vez. Mucho miedo.
Pero ni siquiera ese miedo impidió que fuera a
Bruselas y buscara un empleo ahí. Y que, ya
establecido, al cabo de un par de semanas, me
presentara a la casa de una tal Maria Wivel, con un
ramo de rosas y la mejor loción que pude comprar.
Apenas saludé y pregunté por sus sobrinos, los
chicos Frisch, llegados tres años atrás a vivir con
ella, según datos proporcionados por mi tío Hódder.

Unos segundos después, apareció por la puerta la mujer más hermosa del mundo.

Y yo apenas pude balbucear: "Hola, Ellen".

Con una sonrisa que, he de confesarte, nunca he podido producir nuevamente, se me echó al cuello. "Hola, Filip".

Ellen, o mejor dicho Nora —tu abuela y sus hermanos son los únicos personajes a los que quise cambiar el nombre, pues cuando escribí la novela aún vivía su padre y yo guardaba cierto recelo al respecto—, me dio el primer beso de mi vida en ese portal de una calle de Bruselas. Y si quieres mi opinión, vale la pena esperar tres años, treinta o trescientos por algo así.

Josef y Hedda (Otto y Gerda) ya eran niños grandes, pero me recordaron en seguida, y con mucho cariño. Volvimos a ser amigos en cuanto traspasé la puerta. Esa primera tarde escuchamos juntos discos de Elvis y los Everly Brothers de su propia colección.

Como dije, me establecí en Bruselas.

Pero a los dos años, en un arrebato, me casé con Nora. Y, en otro, me fui con ella de luna de miel a México. A las playas de un lugar que ocupaba, en cierto modo, un lugar en nuestros corazones: Acapulco.

Nunca volvimos a Bruselas.

A nuestro primer hijo le pusimos por nombre Ole.

A nuestra segunda hija le pusimos Karen.

Siguiendo la voz de Tanne, de que la felicidad es posible y que hace falta coraje para dar con ella, me atendí de mi cifoescoliosis, el "problema de mi columna". Tres operaciones y el corsé que llevo permanentemente hicieron el milagro.

Me dediqué a la compra/venta y reparación de automóviles. Y me olvidé de escribir la historia. Hasta cierta crisis económica que hubo en el país en los años 80 me animé a tomar la pluma, por decirlo de algún modo. En ese momento pensé que tal vez la baronesa tenía razón y que tal vez debía mejor dedicarme a las letras, ya que me estaba yendo tan mal con los coches. Así que escribí la novela mientras mejoraba la situación. Si quieres mi opinión más sincera, en mucho tiempo no me sentí tan vivo como cuando escribí el texto. Pero nunca hice nada con él; guardé el manuscrito (inconcluso, por cierto; nunca di con el final perfecto) en un cajón. Hace unos diez años me lo volví a encontrar por accidente y le pedí a mi secretaria que lo pasara a un documento electrónico, pero solo para que volviera a empolvarse, ahora en alguna carpeta olvidada de algún disco duro de la computadora de la casa.

Y te lo he enviado por una sola razón: para que veas que tal vez sí existe ese libro del destino del que hablé al principio; que solo es cuestión de que las piezas ensamblen bien para que tu ruta, vista desde la distancia, forme la figura de una cigüeña. Una hermosa cigüeña de alas desplegadas. Porque, a lo largo de los kilómetros y las décadas, querido Álex, si algo pude aprender es que no hay verdades absolutas ni posiciones correctas ante la vida. Que una perspectiva es tan buena como otra y que ni tu padre o tu abuelo o Jesús tienen la última palabra. Que nadie es "normal" ni "anormal" al cien por ciento, y que lo que en verdad vale la pena en esta y todas las historias es aquello que nos define y hace especiales: nuestras diferencias, lo diverso de nuestros colores, nuestros grandes defectos y nuestras mínimas virtudes. Que solo es cobarde el que actúa de mala fe, y que hace falta más valor para evitar una pelea que para iniciarla. Porque, a lo largo del tiempo y las distancias, ¿quién iba a decir que oiría el primer cuarteto de cuerdas de Tchaikovsky por primera vez en un gramófono de manivela y, por segunda, en el iPod de mi nieto?

El destino existe, *bwana* Álex. Te lo digo yo
que lo he visto y vivido de cerca. Pero no es
ese plano inamovible que nos gusta imaginar,
ese camino fatal e inmutable con el que nos
asustan los adivinos, sino la historia que vamos
construyendo, poco a poco y todos juntos, con la
única y simplísima intención de que el mundo no se
detenga nunca.

Abrazos.

Tu abuelo

México, sitio exacto de la felicidad
19 de octubre de 1989

Te lo dije: que en tres o en trece o en treinta años
serías feliz, Filip.
Feliz.
Y vaya, vaya... ¿qué es lo que tenemos aquí?
Mira esa sonrisa en tu cara. Ahora ya nadie podría
tenerte lástima por nada.
¿Qué quieres? Te lo dije, se me dan esas cosas.
¡Treinta años ya!
Pero...
¿Cuándo empezó?
¿En el momento de tu primer beso?
¿Cuando nació tu primer hijo?
¿Cuando descubriste aquello a lo que no te
importaría entregarle el alma?
No importa.
Lo que importa es que, a tus cuarenta y cuatro
años, aún tienes tiempo para montar en bicicleta,
nadar hasta la otra costa, mirar a las estrellas y reír
hasta que duela.
Beber champán y citar a los clásicos.
Algo así.
¿Quién lo iba a decir?
Quién lo iba a decir...
Ahora estoy con Denys y tú con Nora, y pronto
seremos idénticos en esa otra historia que es la
Historia. Un par de abuelos con algo que contar.
Qué quieres, se me dan esas cosas.
Lo supe en cuanto subiste al auto aquella última
mañana en Rungsted.
Para mí fue como escuchar aquel lied *de Schubert:*
"Frühlingsglaube", en voz de las hadas del tiempo.
¿Recuerdas, bwana, *recuerdas? "Nun muss sich*
alles, alles wenden".
Lo supe como si lo leyéramos en un libro. Nuestro
libro. Contigo, con Nora, con Ole, con Tanne.
Nuestro libro.

Así que créelo, bwana. *Porque así es.*
"Ahora todo debe cambiar". Para bien, por
supuesto.
Y así fue, bwana.
Así es.
Así será.

Con todo mi cariño,

Memsahib Tanne

Por cierto, el supuesto botón de Andersen... es una
bagatela. Tíralo, si quieres. Era de una chaqueta
mía muy vieja. A estas alturas ya debes de haber
comprendido el punto. (Y si no, ¿qué estás
esperando? ¡Por Dios, ya pasaron treinta años!)

Álex: ¡Hola, abuelo! Me dio gusto ver que estabas conectado.

Filip: Sí. Estaba cambiando la foto de mi perfil. ¿Te gusta la nueva?

Álex: Más o menos. No sé por qué te gustan tanto las naves espaciales.

Filip: :) ¿Sigue en pie lo del concierto del viernes?

Álex: Claro, ya quedamos: 7 pm frente a las taquillas del Auditorio. Por cierto, ¿te puedo hacer un par de preguntas?

Filip: A ver...

Álex: Entiendo que menciones a la abuela en tu novela como la chica más hermosa del mundo. De hecho, la abuela es bastante guapa. Pero... vaya... ella misma me mostró fotos de cuando tenía quince años, al llegar a Bruselas y... qué quieres que te diga, Filip...

Filip: Tu abuela era la chica más hermosa del mundo. Y ahora es la abuela más hermosa del mundo. Y estoy dispuesto a romperle la cara a cualquiera que lo ponga en duda.

Álex: ¿Romperle la cara, Filip?

Filip: :)

Álex: Okey, ya capté.

Filip: XD

Álex: ;)

Filip: Siguiente pregunta.

Álex: ¿Cuándo dices que te llegó la carta de Karen Blixen?

Filip: A principios del otoño del '89.

Álex: ¿Pero cómo le hizo si murió en el '62? ¿Ya lo sabes?

Filip: Así de sorprendente era la baronesa, Álex. En todo lo que hacía. El sobre lo envió a la embajada danesa en México en marzo del '62 (supongo que presintió que tenía los días contados), pero la fechó en octubre del '89. Pidió muy atentamente que me buscaran aquí al cumplirse el tiempo y, de dar conmigo, que me la entregaran. ¿Puedes imaginar mi sorpresa cuando abrí el sobre y descubrí la primera hoja de *Memorias de África* dedicada? ¡19 de octubre de 1989, decía de su puño y letra! Y las breves líneas de la carta en la hoja que te escaneé. Creo que me hizo sonreír para el resto de mi vida.

¿Sigues ahí?

¿Álex?

Álex: Sí, me quedé pensando.

Filip: A ver, ahora soy yo el que tiene una pregunta. ¿Terminaste el poemario?

Álex: Sí.

Filip: Me da gusto. Me dijo tu mamá que estabas casi obsesionado.

Álex: Un poco. Tenía que terminarlo.

Filip: ¡Y que lo digas! ¡Apenas justo a tiempo!

Álex: Pero no por lo que crees, abuelo.

Filip: ¿Ah, no?

Álex: No.

Filip: ¿?

Álex: Abuelo... ¿me odiarías si te dijera que te jugué chueco?

Filip: :o
Pues ya no sé ni qué esperar, si ya alguna vez me robaste un botón valiosísimo.

Álex: Ni te hagas, que si lo pusieras a la venta en e-bay diciendo que perteneció a Karen Blixen, seguro que te compras otra casa.

Filip: No cambies de tema. ¿Cómo me jugaste chueco?

Álex: *Adonde no conozco nada.* ¿Te interesaría publicarla?

Filip: Eh... ¿cómo?

Álex: Te lo repito. *Adonde no conozco nada.* ¿Te interesaría publicarla?

Filip: Necesitaría pensarlo, yo creo. ¿Por?

Álex: ¿Y si te digo que ya es demasiado tarde?

Filip: ¿Tarde?

Álex: Sí. ¿Viste qué día es hoy, no abuelo? Todo coincide.

No me odies pero le acabo de mandar a la editora tu novela con nuestros correos intercalados.

Filip: ¿Qué?

Álex: También el correo que te escribió la abuela con ayuda de Horte. Y unos de mi mamá.

Filip: Pero... ¿qué no se supone que tu libro de poemas era justamente para…?

Álex: No, abuelo. ¿Para qué nos hacemos? Yo quería apantallar a Doris con un libro. Me hubiera dado lo mismo escribir poemas que consejos para bajar de peso. Y, no obstante, escribí poemas. En los días pasados, cuando me puse a corregirlos, me di cuenta de una cosa.

Filip: ¿Qué cosa?

Álex: Como si no lo supieras. Si hasta te lo gritó Tanne en tu cara, en tu propia novela. En fin, el chiste es que yo creo que es tiempo de que esos cuatro personajes completen su ciclo. A mis poemas, en cambio, les espera otra historia.

Filip: No sé, Álex, es que…

Álex: ¿Cómo ves? ¿Valdrá la pena meter la carta traducida de la baronesa? ¿O esta misma sesión de chat? Estaría chido. Aunque antes habría que preguntarle a la editora, ¿no?

Filip: Pues sí, aunque…

Álex: Y por cierto, abuelo, ¿qué te puso Tanne en la dedicatoria de *Memorias de África*?

¿Estás ahí?

Abuelo...

Abuelo... Filip... ¿Fuiste al baño o qué onda...?

Filip: Aquí estoy.

Álex: ¿Qué te puso en la dedicatoria?

Filip: Es que estoy cayendo en la cuenta. ¡La muy lista!

Álex: ¿Cayendo en la cuenta?

Filip: Yo lo había interpretado de otra manera y ahora resulta que…

Álex: ¿Qué te puso en la dedicatoria, abuelo?

Filip: Porque, a fin de cuentas, te lo dije en aquel correo, ¿no? ¡Te lo dije! ¡Que en verdad nunca me sentí más vivo que cuando…!

Álex: ¡ABUELO, QUÉ TE PUSO!

Filip: ¡Vaya con la muy lista! ¡Decía que podía ver cosas! ¡Vaya con la muy lista! JAJAJAJAJA

Álex: X(

Filip: Tienes razón, Álex. Todo coincide. Hasta ahora me doy cuenta.

Álex: ¿Por qué?

Filip: Porque todos estos años creí que se refería a otra cosa, y en cambio, exactamente cincuenta años después...

Álex: Ya, abuelo, dime qué te puso o te mando un virus attacheado

Filip: Checa:

"*Bwana* Filip, te dije que había letras, muchas letras en tu futuro. Un abrazo desde Rungsted hasta México. Hoy y siempre. Tanne."

De: Álex <alex_mex96@gmail.com>
Para: Pato <sentimental_mood@hotmail.com
Asunto: Para ti
Fecha: 19 de octubre de 2009
Adjunto: poemasvarios.doc

Pato:

No te saques de onda. Quiero regalarte esto.
Se suponía que era para mandarlo a una editorial,
pero bueno...
...si soy completamente sincero...
En fin.

Un beso.

Álex

*Para mi tía Veva, que a sus noventa y un años
vivía como si tuviera catorce...*

...y para Karen Blixen, quien podía realmente encontrar tréboles de cuatro hojas a simple vista. Y ver la luna nueva en la noche más oscura. Y que en verdad tuvo un abuelo que viajó con Andersen de Milán a Roma. Nunca ganó el Nobel, pero vivió con intensidad cada minuto de su vida y hacía con pasión prácticamente todo lo que le gustaba. Y eso... bueno, eso ya vale un Nobel por sí solo.

Para ella y para todos aquellos que tienen la suerte de descubrir aquello a lo que desean entregarle el alma en algún momento de sus vidas. Ya sea en la adolescencia o después.

Mucho, mucho después.

Salomón "Caballo loco" Narváez, catedrático universitario y gran amante del mundo del ajedrez, se precia de llevar una vida tranquila y sosegada. Pero su existencia se transforma cuando conoce al mayor genio del ajedrez que haya existido jamás: Ulises Bernal. Salomón decide que tiene una nueva misión en la vida: impulsar la carrera de Ulises en el mundo del ajedrez. Pero existe un pequeño problema: Ulises tiene tan sólo 14 años y no está interesado en triunfos ajedrecísticos.

Adonde no conozco nada
se terminó de imprimir en octubre de 2011
en Duplicate Asesores Gráficos, S. A. de C. V.,
Callejón San Antonio Abad núm. 66, col. Tránsito,
c. p. 06820, Cuauhtémoc, México, D. F.
En su composición se empleó la fuente
Celeste.